El canto de las tortugas

Javier Tomeo

El canto
de las tortugas

EDITORIAL ANAGRAMA
BARCELONA

Portada:
Julio Vivas
Ilustración: F. A. Group-Lombok

© EDITORIAL ANAGRAMA, S.A., 1998
   Pedró de la Creu, 58
   08034 Barcelona

ISBN: 84-339-1075-2
Depósito Legal: B. 9342-1998

Printed in Spain

Liberduplex, S.L., Constitució, 19, 08014 Barcelona

Para Cristina y Félix

15 de marzo

1

Hace cinco días que vivo en este pueblo. Decidí abandonar la ciudad cuando toda aquella gente se puso de acuerdo para decir que yo era un tipo que no podía andar suelto por las calles. Les dejé con un palmo de narices y me instalé en el caserón que hace dos años heredé de un hermano de mi padre. La gente me ha recibido aquí con los brazos abiertos. Nadie sospecha todavía que puedo causarles algunos problemas.

El pueblo tiene cuarenta o cincuenta casas, una iglesia y una plaza con soportales. Cada mañana un autocar se lleva a los chicos a la escuela del pueblo vecino y el mismo autocar los devuelve al caer la tarde. De la plaza salen tres caminos: uno hacia el norte, otro hacia el sur y otro hacia el este, que es por donde cada día sale el sol. No hay, pues, camino hacia el oeste y eso me parece muy bien, porque no me gusta el oeste. No me ha gustado nunca, desde que tengo uso de razón. Sólo con pensar en el oeste me pongo triste.

Más precisiones: el caserón en el que vivo tiene dos pisos y ocho habitaciones bastante grandes, una cuadra en la que no hay animales, un corral y un huerto en la parte de atrás. Tiene también una especie de desván. Puede que haya algún fantasma, pero por ahora no se deja oír. Desde la ventana de mi cuarto, que da a la plaza, puedo ver el campanario de la iglesia y las colinas de los alrededores.

2

El alcalde me dice esta mañana que le gusta que en este pueblo viva gente joven que todavía no se haya resignado a morir cruzada de brazos.

–Un momento, un momento –le interrumpo, para que las cosas queden muy claras desde el principio y no haya luego malentendidos–. Lo único que yo quiero hacer en este pueblo es hablar con los animales. Para eso vine aquí. Para hablar con las vacas, con las gallinas, con las cabras, con las ovejas y con todos los animales que viven en este pueblo y sus alrededores.

–Ya –susurra el alcalde, rascándose la barbilla.

–Lo que yo pretendo –continúo explicándole– es que los animales me cuenten sus problemas. Puedo entrevistarles por las mañanas, y por las tardes pasar las entrevistas a limpio.

El alcalde continúa mirándome a los ojos. Seguramente cree que me falta un tornillo. No es el primero que lo piensa. Prefiere cambiar de tema y me cuenta que de chico fue a la escuela con mi tío. Yo le contesto que lo único que sé de mi tío es que se llamaba Avelino y tenía un ojo más grande que el otro.

–Así es –recuerda el alcalde–. El pobre Avelino tenía un ojo más grande que el otro.

No quiere decirme por qué le ha llamado pobre ni yo se lo pregunto. A lo mejor es porque mi tío está muerto y él continúa vivo. Me da unas cuantas palmadas en la espalda y va a reunirse con los dos hombres que están esperándole delante de la puerta del Ayuntamiento. Les dice alguna cosa y uno de los hombres vuelve la cabeza y se me queda mirando.

Le sostengo tranquilamente la mirada, y para que vea que no me corto y que estoy acostumbrado a soportar miradas como la suya, me agarro los huevos con la mano derecha y de ese modo tan sencillo le doy a entender lo mucho que me pesan.

16 de marzo

Faltan cinco días para que empiece la primavera. La estoy esperando desde hace siglos. Nadie puede imaginarse cuánto la necesito.

«Vamos a ver cuántos amores me trae el buen tiempo», pienso frotándome las manos.

Estoy asomado a la ventana viendo cómo pasan las nubes por encima del pueblo. Llegan a oleadas desde el norte y se marchan hacia el sur. Las empuja el viento, claro, porque las nubes no pueden moverse solas. En realidad, es el viento el que mueve todas las cosas.

No deja de ser extraño, por cierto, que en esta época del año, cuando sólo faltan cinco días para que empiece la primavera, el viento sea todavía tan frío.

17 de marzo

El alcalde me llama desde la calle. Reconozco su voz desde el primer momento. Todavía estoy metido en la cama. Bajo a abrirle la puerta en calzoncillos y cuando me ve las piernas se echa a reír. Seguramente le parecen demasiado blancas. Subo otra vez a mi cuarto a ponerme los pantalones. Luego nos sentamos en el zaguán, saco la bota de vino y me pregunta cuánto tiempo hace que soy capaz de hablar con los animales y, sobre todo, cuánto tiempo hace que soy capaz de entender lo que ellos me dicen.

Hago las cuentas y le contesto que las cosas empezaron hace un par de años, antes de que me encerrasen en el hospital. Aprovecho la oportunidad para decirle que también soy poeta. El alcalde me mira a los ojos, está un ꞈ callado y luego me pregunta si me gusta el vi꞉ contesto que sí, que me gusta mucho, y para demostrárselo levanto la bota por encima de la cabeza como quien enseña un tro-

feo. Le digo también que el vino arregla muchas cosas.

–Desde luego –susurra el alcalde, como si de
pronto lo comprendiese todo.

18 de marzo

Son las siete de la tarde. Viene a verme el gato
del vecino pero no le hago mucho caso. Me asomo a
la ventana y estoy un buen rato viendo cómo las nubes continúan pasando por encima del pueblo.

Esas nubes no se acaban nunca.

19 de marzo

Otra vez ha venido a verme el alcalde, pero esta
vez le acompaña un sobrino. La excusa que me da
es de lo más tonta. Dice que pasaba por la calle y
que al ver abierta la puerta se le ocurrió entrar a ver
qué tal estaba.

–Pues ya lo puede ver –le digo.

Después del primer trago dice que tiene que
marcharse y me deja a solas con su sobrino, que se
llama Ramón.

En estos momentos están dando las diez de la
mañana en el reloj de la iglesia. Ramón deja que
acaben de sonar las campanadas y luego me pregun-

ta si es verdad que soy poeta y puedo hablar con los animales.

–Si su señor tío le ha contado todo eso, será porque es verdad –le contesto.

Al ver que no le doy confianza se frena un poco y me explica que está pasando unos días en el pueblo, pero que vive en la ciudad y que está estudiando el último curso de Biología en la Universidad de K.

–Muy bien, señor biólogo –le digo entonces, para ponerle a prueba–. No le dé vergüenza y cuénteme cómo se reproducen las células. O, mejor, explíqueme cómo se reproducen los pólipos de agua dulce.

Ramón se echa a reír y al abrir la boca enseña un diente de oro, pero no responde a mi pregunta.

«Cuidado con ese individuo», pienso, «mucho cuidado porque no es normal que a los veinticinco o veintiséis años un tío como Dios manda se haya dejado poner un diente de oro. Ese tipo de prótesis ya no se estila.»

21 de marzo

Albricias, aquí está por fin la primavera. Eso es, por lo menos, lo que señala el calendario que tengo colgado en la pared de la cocina. Luego, sin embargo, me llevo un buen chasco cuando me asomo a la ventana y veo que está lloviendo.

«No importa», me digo, haciendo de las tripas

corazón. «Lo importante es que la primavera haya llegado y que yo estoy aquí para recibirla.»

Esta mañana ha vuelto a visitarme el sobrino del alcalde. Cada vez me gusta menos. Tiene los ojos demasiado separados de la nariz. Me preguntó si tengo ya escrita alguna entrevista y le contesté que no, pero que tal vez mañana me decida a entrevistar a la vaca que cada día veo pasar por delante de casa, camino del abrevadero.

–Pues gustará mucho saber que es lo que le cuenta esa vaca –me dijo.

Estoy seguro de que no me considera capaz de hablar con una vaca. Debe de pensar que eso es tan difícil como oír cantar a las tortugas. Me molestó, sobre todo, su sonrisa de suficiencia y para fastidiarle le pregunté si estaba ya en condiciones de decirme cómo se reproducen los pólipos de agua dulce.

–En mi facultad no estudiamos eso –me contestó, como si le hubiese preguntado la cosa más rara del mundo.

Y yo le dije entonces que conocer a fondo la vida de los pólipos de agua dulce no era ninguna tontería y que en algunos casos podía ser incluso más importante que conocer la vida de ciertos hombres.

–En eso tiene razón –suspiró.

Y a continuación me preguntó qué tipo de poesía cultivaba. Le expliqué que lo mío ha sido siempre la poesía lírica y aproveché la oportunidad para recitarle uno de mis últimos sonetos.

–Genial –exclamó, cuando terminé. Y enseguida se santiguó con la mano izquierda, como hacen los rusos. Le pregunté por qué se santiguaba con la zurda y no quiso decírmelo. Entonces pensé que podía ser brujo, que también se santiguan con la mano izquierda.

22 de marzo

Ha estado lloviendo durante todo el día. Admito que esta primavera me está saliendo bastante chunga. Hace dos horas encendí el fuego del hogar y me senté frente a las llamas. Desde entonces estoy escuchando cómo chisporrotean los troncos.

«Ahí están mis amigos los fantasmas, muertos de frío en el desván», me digo, mientras el viento gime en la chimenea. «Ahí están esos infelices tratando de recuperar la alegría de antaño.»

Y mientras estoy pensando esa tontería –porque no deja de ser una tontería pensar que los fantasmas pueden tener frío–, se presenta otra vez el gato del vecino. Es una aparición reconfortante.

–Tú te llamarás Roque y tendrás siempre abiertas las puertas de esta casa –le bautizo, pasándole la mano por el lomo.

El gato me contesta que no necesita tener abierta la puerta, porque puede colarse por la gatera siempre que le dé la gana. Luego continuamos hablando de otras cosas. Le confieso que hasta este año nunca había visto una primavera sin golondrinas y Roque me dice que no estamos en primavera, sino en invierno, y que faltan sólo unas cuantas semanas para que sea Navidad.

Es un gato bromista, que le gusta tomar el pelo a la gente.

23 de marzo

No ha parado de llover durante todo el día, así que no he salido de casa. Aproveché el tiempo para poner en orden los cacharros de la cocina y para subir al piso de arriba unos cuantos troncos de boj que tenía en el sótano.

Esta tarde ha vuelto Roque. Creo que nos hemos caído bastante bien. Sube por la escalera con el rabo tieso y se sienta a mi lado. Está de mal humor. Me dice que no puede creer que en otros tiempos los gatos, es decir, sus antepasados, se follasen a las brujas. «Menuda tontería, preocuparse por esas cosas», pienso yo. Roque reconoce que algunas brujas lo confesaron ante sus jueces, pero que sólo lo hicieron para echarse un farol.

–Alto, amigo mío –replico, mientras remuevo las brasas de la chimenea con el atizador–. No olvides que estamos viviendo tiempos de bendita tolerancia. Nadie se escandaliza ya por lo que cada cual haga con su cuerpo.

Roque sigue sin creer que sus antepasados tuviesen tan mal gusto. Opina que a las mujeres se les puede perdonar su perfidia, pero no el mal aliento. Luego, cambiando el ritmo de sus ronroneos, empieza a hablarme de la antigüedad de su linaje. Me explica que Cleopatra, reina de Egipto, se pintaba los ojos como si fuese un gato, es decir, como si fuese una gata.

–No me hables de Cleopatra, que me pongo cachondo –le advierto.

Roque se echa a reír. No cree que sólo con escuchar el nombre de Cleopatra me ponga a cien, pero no me tomo la molestia de sacarle de su error.

24 de marzo

Ha llegado el momento de demostrar a la gente de este pueblo de lo que soy capaz. Me enrollo la bufanda roja alrededor del cuello y me planto en el abrevadero. La vaca llega esta mañana con algún retraso. El hombre que la conduce no se sorprende cuando le digo que tengo la intención de entrevistarla. El alcalde ha puesto ya en antecedentes a todo el mundo.

–¿Usted cree –me pregunta– que la vaca entenderá sus preguntas? ¿Y usted cree que, aunque le entienda, podrá responderle?

Le digo que me pregunta cosas bastante estúpidas y el hombre se encoge de hombros. Lleva la boina calada hasta las cejas.

–¿Y usted cree –continúa preguntándome– que aunque la vaca le responda, usted será capaz de entender lo que ella le diga?

18

Le digo que ésa es, por lo menos, la obligación de todos los poetas líricos.

–Nosotros –le explico– tenemos la obligación de entender lo que nos cuentan las vacas y, en general, lo que nos cuentan todos los animales, sean de la especie que sean. Entender, incluso, lo que nos dicen los insectos y las flores, cada cual en su idioma.

–Pues por mí que no quede –me anima el hombre, apoyándose en el bastón–. Pregúntele a la vaca todo lo que quiera, con tal que esté yo delante.

Le advierto que lo más probable es que él no pueda entender lo que me diga la vaca, pero dice que eso le importa un pimiento y que, en todo caso, tendrá más que suficiente con escuchar lo que yo le pregunte.

–Pues vamos a ver qué tal me sale la entrevista –le digo.

Y cuando la vaca acaba de beber y aparta la cabeza del agua le pregunto si no le da pena ser la única de su especie que queda en el pueblo y si no piensa alguna vez en sus amigas muertas.

La vaca se queda un momento en silencio, atraída por mi bufanda roja. No demuestra, por fortuna, la menor intención de embestir. Debe de hacer mucho tiempo que no habla con un hombre. Puede incluso que sea ésta la primera vez.

Al cabo de un rato se decide por fin a responder. Me dice que sí, que le da bastante pena haberse quedado sola y que de vez en cuando se le humedecen los ojos pensando en las amigas muertas y, sobre todo, recordando sus tiempos de ternera, cuando retozaban todas juntas por los prados de la juventud.

Me parece una hermosa respuesta. Le pregunto otras cosas, pero ya no quiere responder. Se aleja del abrevadero y regresa lentamente al establo sin necesidad de que la azuce el gañán.

–Estoy seguro de que esa vaca le ha dicho algo –reconoce el hombre–. He visto cómo movía la boca varias veces. Lo que más me extraña es que haya podido vivir cuarenta años sin saber que las vacas pueden hablar.

–Puede que la culpa haya sido suya –le digo.

25 de marzo

1

Esta mañana he ido al Ayuntamiento para entregar al alcalde y a su sobrino la entrevista. Quiero que vean de lo que soy capaz. Primero la leyó el alcalde y luego su sobrino. Después se miraron a los ojos y me dijeron que les parecía muy bien.

–En cierto modo –observó el sobrino– me parece normal que las vacas hayan aprendido a hablar, después de estar tantos años dejándose ordeñar por los hombres.

Les dije que la próxima vez podría darles a leer otra entrevista más larga y me dieron las gracias por anticipado.

2

Son ahora las cuatro de la tarde. Subo al desván para charlar un rato con la araña que hace un par de días descubrí tejiendo en un rincón.

Sé de antemano que no va a ser una entrevista fácil. Las arañas son criaturas taciturnas y perversas que sólo se preocupan de sus cosas. De todas formas, vale la pena intentarlo. Me servirá de ayuda, con toda seguridad, la media botella de vino que acabo de meterme entre pecho y espalda.

Tomo asiento junto a la araña y le pregunto cómo se llama.

Durante los primeros momentos no quiere decírmelo. Luego se lo piensa mejor y responde que se llama Matilde. Tiene una vocecita de contralto. Le digo que Matilde es un nombre germano que significa la que «lucha con fuerza». La araña me pregunta si estoy seguro de que Matilde significa eso y le contesto que sí, que estoy completamente seguro.

–Las mujeres que se llaman Matilde –le explico– son poco frívolas y profundas. Son también esmeradas en su trabajo, pacientes y virtuosas.

La araña se queda un buen rato sin decir nada, pero no por eso deja de tejer. Le está saliendo una red magnífica.

–Si fuese una mosca, no me importaría quedar atrapado en esa red –le digo, para halagarla.

Pero ella continúa callada, sin agradecerme el cumplido. Está pensando en otra cosa. Por fin me recuerda que las arañas no son mujeres y me pregunta si lo que sirve para las mujeres puede aplicarse también a las arañas. Lo dice, seguramente, por lo del nombre. Es una pregunta bastante comprometida, así que no le contesto ni que sí, ni que no. Prefiero guardar silencio. Que piense lo que más le guste. La araña me dice entonces que tal vez para ellas llamarse Matilde tenga otros significados.

–Muy bien –le digo, saliéndome por la tangente–. Cuéntame ahora qué es lo que estás haciendo en este desván.

Responde que siempre ha vivido en este desván, que nació aquí y que muy probablemente morirá aquí. Me dice también que se pasa las horas muertas sin moverse, anclada en el centro de un universo geométrico que supo ordenar ella misma. Se refiere, evidentemente, a su red.

Le digo que lo que ella hace sin darle la menor importancia no lo sabe hacer mucha gente. Personas, incluso, que van por esos mundos de Dios presumiendo de listas. La araña se queda un momento callada y luego, sin que venga a cuento, me cuenta que mucha gente la acusa de ser una criatura voraz, cruel y sin entrañas, pero que se equivocan al pensar eso, porque lo cierto es que tiene un corazoncito tubuloso y, además, un sistema nervioso ganglionar.

–Pues mira, también hay algunos hombres que no pueden presumir de tanto –le digo.

Le pregunto cuál es su afición favorita –en las entrevistas siempre se preguntan esas cosas– y responde que lo que más le gusta es comer y que vive siempre pendiente de su estómago y de la vida que palpita a su alrededor. Eso no casa muy bien con lo que acaba de decirme a propósito de que no era una criatura voraz.

–¿No te parece injusto –le pregunto– que los psicólogos os consideren símbolo de la introversión narcisista?

Responde que, en efecto, le parece injusto, pero que el mundo está lleno de injusticias todavía mayores. Parece que va a decir más cosas, pero de pronto se queda callada y pienso que por el momento es mejor no atosigarla con más preguntas. Le doy las gracias y la dejo a solas con la mosca que acaba de entrar por la ventana.

26 de marzo

Roque no me cree. Dice que las arañas no son capaces de hablar y que soy yo quien se hace las preguntas y quien luego se da las respuestas.

–No me gusta que digas eso –protesto–. ¿Por qué crees que pueden hablar los gatos y no pueden hacerlo las arañas? ¿Qué presunción es ésa?

Dice que tampoco él puede hablar y que soy yo quien le hace hablar con mi propia voz para sentirme menos solo.

No vale la pena que entre a considerar ahora por qué ha dicho semejante tontería. Tengo, sin embargo, que consignar la opinión de Roque en este Diario, si quiero ser imparcial con los hechos.

27 de marzo

Cada sábado viene el barbero del pueblo vecino para cortar el pelo y afeitar a los vecinos que se lo piden. Es un hombrecito de ojos azules y nariz ganchuda. Monta su tinglado en el zaguán del Ayuntamiento y se pasa la mañana cortando el pelo o afeitando a la gente.

Esta mañana yo también estoy haciendo cola –llevo una barba de cinco o seis días–, y mientras espero que llegue mi turno tengo un presentimiento.

«Tal vez», me digo, mirando de reojo al barbero, «ese hombre piense que ha llegado el momento de degollarme.»

«¿Quiénes serán mis herederos, si ese barbero se decide realmente a cortarme el cuello?», me pregunto luego, mientras el hombre afila la navaja. «¿Quién se tomará luego la molestia de reclamarle daños y perjuicios?»

Me encuentro inesperadamente con la mirada de un perro que acaba de colarse en el zaguán. Nadie le hace caso. El perro se sienta sobre sus cuartos traseros y continúa mirándome con descaro.

No me gusta su mirada. Ya se sabe lo que pasa algunas veces. Los hombres y los perros entrecruzan las miradas y luego cada cual saca sus propias conclusiones a propósito del otro. El barbero le da una patada, pero el perro continúa en el mismo sitio. Ni siquiera se toma la molestia de mover el rabo.

No me parece justo que los poetas sean mirados con tanta indiferencia por los perros.

–De acuerdo –le digo al perro–. Yo no soy precisamente Gustavo Adolfo Bécquer, pero tampoco tú eres un doberman.

–¿Usted cree de verdad que ese perro le entiende? –me pregunta uno de los hombres que están sentados a mi derecha.

–Desde luego –le contesto–. Me entiende muy bien.

Y para que todo el mundo se convenza sujeto la cabeza del chucho con las dos manos y le digo que todos los perros, sean de la raza que sean, son aún más rijosos que los monos y que sólo tienen que echar a correr para ponerse cachondos.

–Eso no es cierto –protesta el perro, aunque sin poner demasiado énfasis en la respuesta–. Quien dijo esa estupidez se equivocó de medio a medio. La verdad es que sobre nosotros se han dicho muchas tonterías.

–Ahí tienen la prueba –les digo a los hombres–. Yo he dicho una cosa y el perro no está conforme. ¿No le han oído protestar?

–Perfectamente –dice el barbero, hablando en nombre de todos los demás.

Llega por fin mi turno. Me siento en la butaca del barbero, le ofrezco el cuello y vuelvo a considerar otra vez la posibilidad de que hoy sea el último día de mi vida.

«¿Quiénes serán mis herederos?», me pregunto otra vez, sintiendo que se me ponen todos los pelos de punta.

Y el barbero, para preparar el camino a la navaja, se humedece la yema del pulgar con un poco de saliva y me acaricia la yugular.

29 de marzo

1

Las flores y los pájaros no llegan. Lo repetiré una vez más: nunca he visto un mes de marzo como éste. El calendario me está jugando una mala pasada. Se lo digo a Roque y me dice que faltan más de cuatro meses para que empiece la primavera.

Es un gato de ideas fijas, pero no quiero perder el tiempo en discusiones tontas. Viene a visitarme muchas tardes y eso es también de agradecer. Le paso la mano por el lomo y siento cómo se le disparan todos los muelles que lleva dentro.

–Hoy te contaré cómo empezó todo –le digo, mientras enciendo el fuego de la chimenea y le preparo el almohadón–. Fue en la ciudad, poco antes de que me encerrasen en el hospital. Yo estaba tumbado en un banco y se estaba haciendo de día. No sé si lo sabes, pero en esos momentos puede suceder cualquier cosa. Se me acercó un perro, me miró a los ojos y me dijo que tenía hambre. No me lo dijo con la mirada, que es como me había entendido hasta entonces con todos los perros, sino con palabras. «Muy bien», pensé entonces, «si este perro me habla con palabras, yo le contestaré también con palabras.» Le dije que yo también tenía hambre, pero que prefería no pensar en eso. Aquella noche, sin moverme de aquel mismo banco, hablé también con un gato como tú y con un par de ratas.

Roque tampoco cree hoy ni una sola palabra de lo que le estoy contando. Se despereza y me dice que lo más fácil es que aquella noche estuviese borracho y que nadie iba a creerme si contaba esa historia.

–Lo que tú haces –me dice– es inventarte historias y escribirlas luego en esa libreta.

2

No llueve, ésa es la gran noticia. Doy un paseo por los alrededores del pueblo y no encuentro ni un solo almendro florecido. Vuelvo a casa bastante desanimado y para levantar la moral liquido la última botella de vino que me traje de la ciudad.

«¿Y si yo fuese el único culpable de toda esta desolación?», me pregunto.

3

Estoy sentado en el banco de la plaza y un enorme perro viene directamente a mi encuentro. La plaza es grande y hubiese podido cruzarla por cualquier otra parte, pero ese perro ha elegido precisamente el camino que pasa a un metro escaso del banco.

«Seguramente eso quiere decir algo», pienso.

Cojo al perro por el collar y le obligo a sentarse junto al banco. Es un hermoso mastín y no ofrece resistencia. Se sienta a mis pies, me mira a los ojos y me pregunta qué tal me va últimamente con la poesía. Le contesto que no me puedo quejar y el mastín me dice que seguramente él se siente tan orgulloso de ser perro como yo de ser poeta.

–Pues me parece bien –le contesto, mirando alrededor para ver si hay alguien chafardeando por los alrededores–. Nunca hemos de perder el aprecio de nosotros mismos.

El perro me confiesa que, sobre todo, se siente orgulloso de su condición de mastín, y le digo que tampoco conviene ser demasiado orgulloso porque los orgullosos acaban siempre quedándose solos.

Le importa un pito mi consejo. Genio y figura hasta la sepultura. Me dice que si quiero conocer realmente a los de su pueblo tengo que hablar con perros de categoría y no con los bastardos que se cuelan en las barberías de los hombres y luego apenas saben qué decirles.

–Muy bien –replico, un poco fastidiado por su altanería–, ya que te pones así, te diré que estás demasiado gordo. Prefiero los perros a los que se les pueden contar las costillas.

–Pues yo creo que no es prudente creer en lo que nos cuentan los perros hambrientos, porque el hambre suele ser mala consejera –observa el mastín.

Y yo le digo que los perros que pasan hambre son los mejores interlocutores porque esperan las preguntas con tanta atención como si fueses a arrojarles un hueso.

El mastín sacude la cabeza y empieza a hablarme de su linaje. Me cuenta que es nieto del tata-

ranieto del biznieto del tataranieto –y así sucesivamente– de un mastín que se pasaba los días tumbado a los pies de un poderoso conde. Me explica también que otros antepasados suyos lamían las manos
a los más importantes personajes de su tiempo.

Al oírle decir esa majadería no me puedo conte-
ner y suelto una carcajada. Si hay alguien que esté
espiándome pensará otra vez que me he vuelto loco.

No hay nada más que hablar. No vale la pena que
le diga al perro que sus ideas me parecen de lo más
trasnochadas. El mastín se levanta y se aleja lentamente barriendo el suelo con la cola. Cuando llega
al otro lado de la plaza se detiene un momento, vuelve la cabeza y me dice que hago mal confiando en
los perros flacos, porque casi siempre están llenos
de pulgas y sólo son amigos de contar su verdad.

2 de abril

Esta noche, cuando ya estaba a punto de meterme en la cama, Matilde empezó a entonar extrañas
letanías en el desván. No deja de ser curioso que,
con lo pequeña que es, se la pueda oír desde tan lejos. Me propongo volver a visitarla un día de éstos.
Estoy seguro de que el otro día no me lo contó todo.

Roque está de acuerdo conmigo. También él
piensa que no me lo ha contado todo. No sé, sin embargo, si lo ha dicho en serio. Roque es un gato perverso, que sabe enmascarar sus pensamientos.

3 de abril

1

Ayer noche abrí la última lata de alubias que quedaba en la despensa, pero esta mañana Juan me trajo un par de longanizas, una garrafa de vino y medio saco de patatas. Hay gente que tiene el don de adivinar lo que necesita el prójimo. Le di las gracias, nos sentamos en la cocina y le alargué la bota de vino.

–Mira, yo tampoco me trago que puedas hablar con los perros –me soltó a las primeras de cambio.

No le dije ni que sí, ni que no. Cada cual es libre de pensar lo que quiera. Tampoco yo tuve pelos en la lengua para decirle que, seguramente a fuerza de dar martillazos en la herrería, se le había puesto la cabeza como un yunque, con una punta por delante y otra por detrás.

Se echó a reír y me confesó que nunca le habían dicho eso. Luego me preguntó que si me sentía solo viviendo sin compañía en un caserón tan grande, y antes de que pudiese responderle me invitó a comer un día en su casa. Me dijo asimismo que su mujer hacía el pollo a la cazuela como nadie.

2

Las doce de la noche. Roque está todavía a mis pies. Hace un rato quiso escaparse, pero le agarré por el rabo y le mantuve a mi lado.

En estos momentos acepta su esclavitud con resignados ronroneos. Le digo que Juan, el herrero, me parece una excelente persona, aunque sólo sea porque es de los que se preocupan por el estómago del vecino.

–Lo que no tengo tan claro –le pregunto luego– es por qué supone que me siento solo. ¿Crees que un hombre como yo puede sentirse alguna vez solo?

No responde. Le paso la mano por la cabeza y entorna los párpados. Ahora no tiene ganas de volver a su casa. Cierra los ojos y se queda dormido. No me parece correcto que nuestros interlocutores se queden dormidos al amor del fuego y nos dejen sin respuestas. Por un momento siento la tentación de tirarle de los pelos del bigote.

4 de abril

Brilla el sol, pero sopla el viento. Una pareja de cuervos vuela hacia el norte. Habría que preguntarles adónde van. Habría que preguntarles también por qué son tan negros, aunque lo más probable es que ni siquiera ellos lo sepan.

«La primavera», pienso esta mañana, «es como una hermosa doncella que necesita ser requerida.»

Y ni corto ni perezoso salgo de casa y voy a sentarme al banco de la plaza –el mismo donde estuve hablando con el mastín– para que la primavera pueda ver que la estoy esperando.

Nadie viene a hablar conmigo. No se me acerca un alma. Todos los que pasan por la plaza hacen como si no me viesen.

«Seguramente», me digo, «se ha corrido la voz de que soy un tío raro y no quieren saber nada conmigo.»

Y para que todo el mundo vea que me importa un pito lo que puedan pensar, me pongo a tararear un pasodoble. Luego me voy a dar una vuelta por los alrededores del pueblo, me siento junto a la pared del cementerio y justo en el instante en que acabo de sentarme una serpiente asoma la cabeza por un agujero.

No cuesta trabajo ser cortés y le pregunto cómo le van las cosas. La serpiente responde que no se puede quejar, pero que, por el momento, lo único que le interesa es tomar el sol y calentarse un poco.

–¿Para qué necesitas calentarte –le pregunto–, si eres un reptil y has nacido con la sangre fría?

No le gusta la pregunta. Reconoce que tiene la sangre fría pero que, como compensación, tiene también otras cosas y que tendrá todavía más cuando cumpla cien años. Le pregunto qué cosas serán ésas y me dice que cuando cumpla el primer siglo de vida le crecerá una hermosa melena y que, además, alguien le regalará un rubí.

–¿Y para qué quieres un rubí, si no tienes brazos? –continúo preguntándole.

Me pregunta, a su vez, qué tiene que ver una cosa con la otra y le explico que si tuviese brazos, tendría también manos, y que si tuviese manos, tendría por lo menos cinco dedos en cada mano. No es una serpiente lista y quiere saber para qué necesita

32

tener dedos. Esa pregunta me demuestra una vez más que la estupidez es universal y se extiende también al mundo de los reptiles.

Me armo de paciencia y le explico que si tuviese dedos, podría lucir en cualquiera de ellos el rubí engarzado en un anillo. Una vez aclarado ese punto, le pregunto quién será el misterioso personaje que le regalará el rubí.

La pobre serpiente no puede responder. Los últimos rayos del sol arrancan de sus escamas reflejos tornasolados.

Cuando vuelvo a casa quiero contárselo al gato, pero no lo encuentro por ninguna parte. Enciendo la chimenea y estoy esperándolo un par de horas, pero luego pienso que es mejor meterme en la cama.

5 de abril

1

Colina verde, cielo azul y golondrinas en forma de uve. Ésa es la escenografía ideal con la que muchos ingenuos se imaginan la primavera. Lo malo es que todos nuestros buenos deseos sirven de poco. Los sueños nunca coinciden con la realidad. Esta mañana, por ejemplo, abro la ventana de mi cuarto y me doy otra vez de narices con un cielo gris y el canto destemplado de un gallo que seguramente se ha despertado con retraso.

«Ésta es la realidad y a ella debo someterme», pienso.

Continúo asomado a la ventana durante un buen rato y de pronto decido subir a la colina. Quiero ver de cerca a las ovejas. De vez en cuando conviene demostrar a los demás que somos capaces de agarrar el toro por los cuernos.

2

El pastor no demuestra ninguna inquietud mientras subo por la ladera y me saluda levantando el paraguas que lleva en la mano y que le sirve también de bastón.

«Ese buen hombre», pienso, «no se asusta al verme llegar porque sabe que todos los poetas líricos somos vegetarianos.»

–Lo que son las cosas –le digo luego, cuando estoy a su lado–. Mientras subía he visto algo muy curioso; cada vez que una oveja mueve la cabeza, suena al mismo tiempo una esquila. Eso quiere decir que si son cuatro las ovejas que mueven la cabeza, son también cuatro las esquilas que suenan.

El pastor me pide que le cuente alguna cosa de la ciudad, pero le digo que no me gusta hablar de la ciudad y que ni siquiera me gusta pensar en ella.

–Si he subido hasta aquí, a pesar del mal tiempo –le digo–, es para entrevistar a una de sus ovejas.

Me dice que le parece muy bien y que ya le habían contado en el pueblo que yo era un tipo que se entendía con todos los animales de pluma y pelo.

Muy bien, manos a la obra. Me acerco a la oveja que tengo más cerca y le pregunto si se siente a gusto en el rebaño. La oveja responde que sí y me asegura que ama tiernamente a sus compañeras. Dice también que las ovejas no protestan jamás, y que si no lo hacen, no es por mansedumbre sino por prudencia.

–Pues tampoco balar me parece que sea muy prudente –observo–. Ya lo dice el refrán, y los refranes pocas veces se equivocan: oveja que bala, bocado que pierde.

Dejo a la pobre oveja rumiando sobre lo que acabo de decirle –creo que no ha entendido ni una sola palabra– y vuelvo hasta donde se quedó el pastor y le doy las gracias. Por hoy tengo suficiente. El pastor dice que, ya que estoy aquí, puedo aprovechar la ocasión y hablar con otras ovejas, la que más me guste.

–Aunque lo más fácil es que todas le digan lo mismo –añade.

No sé exactamente qué es lo que ha querido darme a entender con esa coletilla, pero tampoco me tomo la molestia de preguntárselo. Le digo, por si acaso, que está equivocado si piensa que todas las ovejas responden lo mismo, aunque pertenezcan al mismo rebaño y les hagan la misma pregunta.

–Y eso es así –le explico– porque no todas las ovejas son iguales, aunque lo parezcan por fuera. Estoy seguro, por ejemplo, de que en este rebaño hay ovejas que sólo tienen una vesícula biliar (que es lo normal) y otras que tienen dos.

–Ja, ja –se ríe el pastor.

–Tan seguro estoy de eso como de que hay algunas ovejas que apenas tienen rabo y otras que, por el contrario, lo tienen demasiado largo.

–Eso sí que es una lata para los carneros –observa el hombre, metiéndose un dedo en la nariz.

Le pregunto por qué es una lata y me explica que cuando las ovejas tienen el rabo demasiado largo a los carneros les cuesta más trabajo follárselas.

–Lo que yo quiero decirle –continúo explicándole, dejando a un lado el asunto del rabo– es que me parece normal que las ovejas que sólo tienen una vesícula no piensen lo mismo que las ovejas que tienen dos.

El pastor afirma con grandes movimientos de cabeza y vuelve a pedirme que me quede un poco más.

–Puedo dejarle el paraguas que tengo de repuesto –dice, cuando empieza a lloviznar.

3

Acepto su invitación y me voy a hablar con otra oveja que está un poco más lejos. Le pregunto cuántas vesículas tiene y dice que no lo sabe porque nunca se ha visto por dentro, pero que supone que tiene las que hay que tener, aunque sólo sea porque nunca ha padecido trastornos biliares. Luego me confiesa que se considera una criatura taciturna, amiga del silencio y de la soledad, y que si miro en el interior de su esquila no encontraré colgando ningún badajo.

Esa última observación desmonta en un abrir y cerrar de ojos mi teoría de las esquilas y las cabezas.

El pastor se me acerca por la espalda y dice que está seguro de que la oveja me ha dicho alguna cosa, porque vio cómo abría y cerraba la boca varias veces mientras estábamos mirándonos a los ojos. Poco más o menos, me dijo lo mismo que el gañán de la vaca hace unos días.

Empieza a llover con fuerza y me presta su paraguas de repuesto para que vuelva al pueblo. Le doy otra vez las gracias y cuando estoy ya un poco más abajo se cuelga el paraguas del antebrazo –no le importa el aguacero que está cayendo– y empieza a aplaudirme con las dos manos, que es como normalmente se aplaude.

4

Esta noche se lo cuento todo al gato. Le pregunto qué opina de las ovejas que tienen dos vesículas biliares y no me responde. Tiene otro de sus días tontos. Tampoco quiere decirme por qué no vino ayer noche a visitarme. Se queda mirando al fuego con sus enormes ojos verdes y acaba quedándose dormido.

6 de abril

Me he pasado todo el día en casa, con todas las ventanas cerradas, escribiendo poemas a la luz de un par de velas. A fuerza de insistir me salieron dos o tres bastante buenos. Los pasé a limpio, los guardé con otros poemas que tengo escritos desde hace tiempo y hace un rato, al abrir la ventana, me encontré con el cielo sin una sola nube y con el sol a punto de esconderse.

Cada día sucede lo mismo. El sol se esconde por detrás del horizonte y enseguida, cuando no hay nubes, se encienden las primeras estrellas. Empiezan a salir por la parte del cielo que queda más lejos del lugar por donde se ha puesto el sol y luego van apareciendo por todo el firmamento.

Mientras estoy asomado a la ventana oigo mugir a la vaca y maullar a un gato. Esa vaca es, con toda seguridad, la que conozco, pues no hay otra en todo el pueblo, y el gato puede ser Roque. Luego canta un mochuelo y proclama de ese modo su soledad.

«Más o menos, como yo», pienso.

Pongo unas cuantas patatas a asar y cuando las tengo listas viene Juan y me invita a comer mañana en su casa. Me repite que su mujer es una gran cocinera y que prepara el pollo a la cazuela como nadie. Eso es lo mismo que ya me dijo el otro día. Se ve enseguida que ese hombre está loco por su mujer. Le pongo en un plato un par de patatas, le paso el salero y mientras nos las estamos comiendo –él las suyas y yo las mías–, me cuenta que conoció a mi tío y que es verdad que tenía un ojo más grande que el otro, pero que cuando se murió todos los del pueblo lo sintieron mucho a pesar de que también le faltaba un tornillo.

–¿Por qué dices también? –le pregunto.

Se encoge de hombros y no responde. Está un rato callado, mirándome a los ojos, y luego me dice que me parezco a mi tío porque yo también tengo un ojo más grande que el otro.

7 de abril

La mujer de Juan se llama María y tiene la mirada más negra que he visto en mi vida. Este mediodía, mientras estábamos comiendo, me dijo que nunca había conocido a otro hombre que fuese capaz de hablar con una vaca. Luego, pensando que yo no me daba cuenta, le guiñó un ojo a su marido.

–¿Por qué crees que le guiñó el ojo? –le pregunto esta noche a Roque.

Pero, una vez más, el gato prefiere darme la callada por respuesta.

8 de abril

1

Esta mañana me despiertan los chillidos de una golondrina. Salto de la cama, corro a la ventana y la abro de par en par, pero no veo a la golondrina por ninguna parte. Ni rastro. Otra vez me han engañado los sentidos.

Las golondrinas de esta primavera están todavía lejos.

Tienen razón los que dicen que algunas veces escuchamos lo que queremos escuchar y vemos lo que queremos ver.

2

Durante todo el día ha estado lloviendo y hubo un momento en el que pareció incluso que iba a nevar. Empieza a parecerme sospechoso que a la gente del pueblo todo esto le parezca la cosa más normal del mundo. Aquí nadie se queja del mal tiempo.

9 de abril

1

«No hay por qué asustarse», pensé ayer noche, poco antes de quedarme dormido. «Las alucinaciones auditivas son bastante corrientes. No son tan graves como querían darme a entender en el hospital. Sería mucho peor si oyese voces o ruidos que no se correspondiesen con lo que estoy viendo, o si viese cosas que no tuviesen nada que ver con lo que estoy oyendo. Sería peor, por ejemplo, si oyese ladrar a una vaca, o mugir a un perro.»

«Hasta que eso no ocurra», me dije, «no tengo razones para preocuparme.»

2

Hace dos horas empezó a nevar, aunque me parece que la nieve no llegará a cuajar. Roque acude a nuestra cita muerto de frío.

–¿Cómo es posible este tiempo, amigo mío, si hemos entrado ya en la segunda semana de abril? –le pregunto–. ¿Cómo es posible que en este pueblo no haya florecido todavía ni un solo árbol?

Roque me contesta lo mismo de siempre, es decir, que no estamos a mediados de abril, sino a mediados de noviembre, y que mi calendario no coincide con el de los demás. Luego se enfurruña porque no quiero encenderle el fuego y se marcha a su casa sin despedirse.

Hay días en los que la soledad se te hace insoportable, así que decido subir al desván para charlar un rato con Matilde. Que yo sepa, nadie ha entrevistado jamás a una araña. No me parece tan difícil. Lo único que necesito es un poco de imaginación y poner luego esa imaginación al servicio de lo que esa araña quiera contarme.

Ya sé, además, que los animales que viven en este pueblo no son estrellas de cine. No tienen amores secretos que descubrir. Se mueven a niveles más modestos. A pesar de todo, estoy convencido de que Matilde podrá contarme muchas cosas al respecto.

3

Quiero poner por escrito todo lo que me ha contado Matilde antes de que se me olvide.

Hemos estado hablando más de media hora. Me senté a su lado y le pregunté sin rodeos qué opinaba a propósito del amor.

–¿Qué opinas tú del amor? –le pregunté por segunda vez levantando un poco más la voz.

Respondió por fin –y lo hizo con su vocecita de vicetiple– que ella no opinaba sobre esas cosas, y que lo único que hacía era practicarlas.

–¿Cuántas veces a la semana practicas el amor? –seguí preguntándole–. ¿Una? ¿Dos? ¿Catorce?

–Todas las veces que puedo –vino a decirme.

–Pues eso sí que es una suerte –suspiré.

Pero enseguida caí en la cuenta de que a lo mejor decir «todas las veces que puedo» puede significar también que hacemos el amor muy pocas veces, o, por lo menos, muchas menos de las que deseamos.

–A pesar de todo –le dije luego a Matilde–, no eres una hembra atractiva. No debes de serlo ni siquiera para las arañas macho. No te enfades, pues, por lo que voy a decirte, pero me cuesta trabajo imaginarte dale que dale, ya me entiendes.

Matilde se quedó callada y mientras estaba rumiando una respuesta, el reloj de la iglesia empezó a dar las doce campanadas de medianoche. «La hora de las brujas», pensé. Y cuando sonó la última, Matilde me dijo que podía pensar lo que me diese la gana, pero que ella había tenido siempre bastante suerte en las cosas del amor y que se consideraba incluso una criatura apasionada.

–Muy bien –le dije–. Ya que te pones así, cuéntame cómo fue tu primera noche de amor.

Su respuesta coincidió completamente con las noticias que yo tengo acerca del comportamiento amoroso de las arañas. Me explicó que, de acuerdo con las leyes de su pueblo, su amante bailó a su alrededor la danza nupcial, pero que al principio no le hizo caso. Me dijo asimismo que el macho, al ver que ella no se animaba, se fue a dar una vuelta, que regresó al cabo de un rato con una mosca aún viva envuelta en un paquete de seda y que ése fue su regalo de bodas, es decir, el precio que su amante tuvo que pagar por una sola noche de amor.

–Debe de ser también bastante triste tener que pagar para conseguir que alguien te bese –le dije entonces–. Por algo dirán algunos que el pimiento regalado sabe más dulce que el azúcar.

Matilde no entró a considerar mi reflexión. Estuvo un momento callada, recapacitando sobre todo lo que me había contado, y luego recordó con voz emocionada que durante su noche de bodas brillaba sobre el río una luna redonda y roja y que hicieron el amor en un rincón del desván. Me confesó también sin que le temblase la voz que, una vez consumado el acoplamiento, trituró a su pareja, que le succionó todo lo que tenía dentro y que el pobre macho murió en un abrir y cerrar de ojos, sin comprender tanta crueldad.

–Así mueren todos los amantes traicionados –suspiré entonces yo, estremeciéndome.

Pero luego, al reflexionar sobre todo lo que me había contado, me di cuenta de que había algo que no encajaba.

–¿Cómo sabes –le pregunté– que durante la noche de tu desfloración brillaba una luna grande y roja, si hicisteis el amor en este desván y aquí no hay ni una sola ventana? ¿Qué río y qué luna puede verse desde aquí?

Matilde me pidió que no la obligase a desvelar ese secreto y me dijo que algunas veces es mejor no contarlo todo.

–Si yo te contase todos mis secretos me convertiría luego en tu esclava –me dijo.

No dejaba de tener su parte de razón y no insistí. Le di las gracias y bajé a la cocina con la intención de pasar la entrevista a limpio.

Tengo que decir, por cierto, que tampoco hoy Matilde se extrañó de que fuese capaz de oír su vocecita de vicetiple. No demostró tampoco ningún interés por saber cómo un hombre como yo se las arregla para entender el lenguaje de las arañas. Al fin y al cabo, las arañas viven ancladas en el centro geométrico de todos los misterios –ellas mismas son el misterio mismo– y no se sorprenden por nada.

10 de abril

1

Hace un par de horas Juan me trajo a casa otra garrafa de vino y un par de chorizos. Lo dejó todo sobre la mesa de la cocina y me aconsejó que guardase los chorizos en la bodega. Luego se sentó al otro lado de la mesa y estuvo un buen rato sin abrir la boca. Cuando estaba a punto de preguntarle en qué estaba pensando, me dijo que su mujer me había invitado otra vez a comer en su casa.

Le pregunté si también hoy tenía pensado darnos pollo a la cazuela, y me dijo que sí y que cuando salió de su casa para venir a verme había dejado a María en la cocina retorciéndole el cuello a un pollo pimentón.

«¿Es lícito», me pregunté entonces, «que un hombre que puede conversar con los animales, permita que, por su culpa, le retuerzan el cuello a un pollo?»

Juan bajó la mirada al suelo y me dijo que a su mujer le gustaría que después de comer charlase un rato con el perro de la casa.

Por la cara que puso mientras me trasladaba la invitación de su mujer, comprendí que a él no le gustaba la idea.

–Mi mujer tampoco se cree que seas capaz de hablar con un perro –murmuró al cabo de un rato, sin levantar todavía la mirada del suelo.

En aquel preciso instante comprendí que Juan pintaba en su casa menos que un cero a la izquierda. Le dije que aceptaba la invitación encantado y que pensaba aprovechar aquella ocasión para preguntarle al granuja de su perro por qué se pone a ladrar como un loco cada vez que me ve pasar por delante de la herrería.

2

Procuraré explicarlo todo con el menor número posible de palabras, que es como deberían explicarse siempre las cosas.

A las dos en punto me presenté en casa del herrero. Juan me abrió la puerta. Su mujer estaba en la cocina, dando los últimos toques al pollo, y, para hacer un poco de tiempo, Juan y yo nos sentamos en el zaguán y nos estuvimos pasando la bota de vino. Luego nos sentamos todos a la mesa y durante una hora estuvimos comiendo y bebiendo de lo lindo. El vino me tiró de la lengua y conté cosas que normalmente no cuento a nadie. Luego María se levantó de la mesa, llamó varias veces al perro y como el animal no acudió a la llamada se puso a buscarlo por toda la casa.

–No está –dijo luego, volviendo al comedor.

–Dejaremos la demostración para otro día –suspiró Juan, como si le hubiesen quitado un peso de encima.

–No importa –les dije entonces–. Si no aparece el perro de la casa, hablaré con el gallo.

Dije gallo como hubiese podido decir gallina, vaca, gato o paloma, pero, apenas lo hube dicho, María se puso a aplaudir como una loca. Luego se levantó de la mesa, fue al corral y al cabo de cinco minutos volvió con un gallo entre los brazos. Lo dejó encima de la mesa y para que no saltase al suelo lo mantuvo sujeto por una pata.

–Aquí tienes un gallo de carne y hueso –me dijo.

La verdad es que daba un poco de pena ver a aquel hermoso animal en medio de tantos platos y bandejas, tratando de conservar su dignidad.

–Vamos a ver qué es lo que me cuenta este pillastre –exclamé entonces yo, con el aire de quienes se encuentran inesperadamente con un amigo que hace tiempo que no ven.

Me acerqué un poco más al gallo, le pregunté en voz clara cuál era su nombre y el gallo respondió, también con voz muy clara –de hecho, muy parecida a la mía–, que se llamaba Nicanor.

–No entiendo –le dije– cómo un simple gallo puede llevar un nombre tan rimbombante.

Al oírme decir eso María soltó una carcajada, pero Juan continuó sin mover un músculo del rostro.

–No seas muy duro con ese gallo porque no le quedan ya muchas fuerzas –me pidió María, que también había bebido más de la cuenta–. Piensa que en el corral le esperan cincuenta gallinas.

Y como supuso que no había caído en la cuenta del doble sentido de sus palabras me guiñó el ojo a espaldas de su marido y me dijo que el pobre Nicanor tenía que apechugar cada día con las cincuenta gallinas y darles caña a todas.

–La proporción no es mala –le contesté, guiñándole también el ojo.

Y luego le hice al gallo dos preguntas que no tenían nada que ver la una con la otra. Lo primero que le pregunté fue si era verdad que a los gallos no les gusta cantar en lugares húmedos. La segunda, si era cierto que los leones y los basiliscos se morían de miedo cuando se cruzaban por el camino con un gallo.

Nicanor me dijo que todo eso eran fábulas que seguramente habría leído en alguno de mis libros imposibles.

–¿Es verdad –continué preguntándole, mientras María me llenaba otra vez el vaso de vino– que la utilidad de los gallos empezó a declinar el día que los hombres inventaron los despertadores?

Nicanor levantó la voz por encima de las carcajadas de María y me dijo que mi pregunta le había parecido bastante grosera.

–Muy bien –continué preguntándole, mientras María y Juan se miraban a los ojos–. ¿Cómo se explica usted la animadversión que los gallos sienten por los gatos?

Nicanor me dijo que aquélla le parecía otra pregunta estúpida y yo le expliqué entonces, aunque no viniese a cuento, que el primer hombre que tuvo la idea de poner un gallo en lo alto de los campanarios fue un tal Ramberto, obispo de Brescia.

–Ahí arriba, expuestos al frío y al viento –le dije–, son ustedes la imagen del Mesías que aparece después de la noche y anuncia a todos los hombres su derecho a la esperanza.

Pensé que con aquello había suficiente y así lo entendieron también Juan y su mujer. María devolvió el gallo al corral y cuando nos quedamos solos, Juan se llenó el vaso de vino y se lo bebió de un solo trago. Entonces pudimos oír el bullicio de las cincuenta gallinas, que recibían el regreso de Nicanor al corral con obscenos cacareos.

3

Oigo maullar a Roque por los tejados del vecindario. Son cerca de las dos de la madrugada. Me temo que a estas horas ya no venga a verme. Esta noche ha vuelto a hacerme el salto.

11 de abril

1

Esta mañana ha venido a despedirse el sobrino del alcalde. Regresa a la ciudad mañana por la mañana. Me ha dicho que está muy contento de haberme conocido y quiere que le envíe por correo todo lo que vaya escribiendo. Tengo que decir que ese individuo me gusta cada vez menos. Me parece sospechoso que, a pesar de su juventud, tenga un diente de oro y uno de esos bigotitos que tanto abundan en este país. He querido demostrarle, sin embargo, que no pierdo el tiempo y le he permitido leer alguna de las entrevistas que ya tengo hechas.

Le gustó mucho, sobre todo, la que le hice el otro día a Matilde. Me preguntó cómo sé que las arañas tienen un corazón tubuloso. Tengo mis libros, le contesté.

–¿Y cómo sabe que las muy putas se zampan a

sus fulanos después de follárselos? –me preguntó luego.

Tampoco me gusta la gente que suelta tacos sólo para hacerse los simpáticos y presumir de modernos.

–¿Y quién le ha dicho que fue un obispo el primero que tuvo la ocurrencia de poner la efigie de un gallo en lo alto de los campanarios? –continuó preguntándome

Le dije que, además de los libros normales que cuentan las cosas como son, tengo otros libros en los que puedo aprender cosas que no explican los demás libros. Y, para terminar, le expliqué que lo que aprendo de los animales me sirve para conocer mejor a los hombres y que si él fuese un insecto sería seguramente una avispa.

Estoy seguro de que aquella comparación no le hizo mucha gracia, pero la encajó con una sonrisa. Luego, poco antes de marcharse, me dijo que en la ciudad tenía un amigo que dirigía una revista ecológica y que si enviaba una entrevista cada semana, a lo mejor podía publicármela.

2

No estaría mal publicar mis entrevistas en una revista de la ciudad, pero Roque, que por fin se ha dejado ver, me aconseja que no me tome demasiado en serio lo que pueda prometerme ese individuo.

–No olvides su diente de oro –ronronea.

Estamos sentados frente a la chimenea pero esta

noche no tenemos muchas ganas de hablar. Preferimos estar en silencio y contemplar cómo el fuego va apagándose poco a poco.

12 de abril

Hoy ha sido otro mal día. Ni siquiera he tenido ánimos para escribir. Me he pasado toda la mañana con la frente apoyada en los cristales de la ventana, viendo cómo llovía. Luego, por la tarde, estuve bebiendo y recordando cosas que posiblemente no me han ocurrido nunca.

Tampoco esta noche Roque ha venido a verme. Algunas veces, cuando no está a mi lado, pienso que a lo mejor ese gato es sólo una invención, un gato imposible que me he inventado para aliviar mi soledad.

«¿Es cierto», me he preguntado hace un rato, «que ese gato existe y que me habla de faraones y de brujas? ¿Es cierto que se avergüenza de lo que hicieron sus antepasados hace ya cientos de años?»

13 de abril

Esta mañana, al abrir la ventana, me encontré con el sol. Fue una agradable sorpresa. Durante la noche el viento se había llevado las nubes al otro lado de las montañas y el cielo estaba tan claro como el ojo de un pájaro.

–Muy bien –le dije al sol–, quédate ahí todo el día.

Bajé al huerto y me pasé un buen rato hablando con una mariposa que descubrí posada sobre la hoja de una col. No recuerdo ahora si la mariposa era verde, amarilla o azul y no recuerdo tampoco el dibujo de sus alas. Lo cierto es que estaba allí, posada sobre la hoja de la col, como una aparición, y que durante algunos minutos aquella col me pareció la rama de un cerezo en flor.

«¿De qué puede hablarse», me pregunté, «con las mariposas que se descubren inesperadamente?»

Extendí el brazo y la mariposa, sin pensárselo dos veces, acudió a mi llamada y se me posó en la yema del índice.

–Estoy seguro de que soy el único de este pueblo que puede verte –le dije.

Y la mariposa me contestó que a lo mejor era también el único hombre en todo el mundo.

Le pedí que me hablase de amor y me contestó que lo que hay que hacer no es hablar de amor, sino sentirlo y conservarlo como un tesoro en lo más profundo de nuestros corazones, superando los rigores del invierno. Utilizó palabras más delicadas, pero vino a decirme lo mismo que ya me había dicho Matilde cuando me confesó que no le gustaba hablar de amor, pero que le gustaba practicarlo.

Luego, sin que se lo pidiese, la mariposa empezó a hablarme de sus hermanas. Me contó que las primeras mariposas del mundo se habían engendrado en el calor hace ya millones de años, cuando la Tierra todavía humeaba y los animales de sangre caliente aún no habían nacido.

–¿Tú crees que en aquellos tiempos la gente también se amaba? –le pregunté.

Me repitió que en los tiempos a los que se refería ni siquiera había gente y enseguida, sin darme tiempo a que le hiciese más preguntas, se alejó volando –las mariposas no saben alejarse de otro modo– y me dejó a solas con el índice levantado y con la col helada a mis pies.

14 de abril

1

Nada de mariposas, aunque sean imaginarias. Esta absurda primavera no se las merece. No tengo más remedio que olvidarme de las mariposas y hablar de lobos.

2

Esta tarde, para matar el tiempo, pensé en escribir una historia de lobos, estructurada en los siguientes puntos:

A. El lobo vive en una casita de renta limitada, en lo más profundo del bosque y yo quiero preguntarle, entre otras cosas, si se considera un digno sucesor de sus feroces antepasados.

B. Voy a visitarle a primeras horas de la mañana y llamo con los nudillos a la puerta de su casita.

C. El lobo dice que puedo pasar y que la puerta no está cerrada con llave. Tiene una hermosa voz de barítono.

D. Empujo la puerta y el lobo me pide que tome asiento junto al fuego. Me pregunta en qué puede serme útil un pobre lobo solitario.

E. Le digo que estaba deseando conocerle personalmente y que me gustaría hacerle un par de preguntas.

F. El lobo me invita a que le haga todas las preguntas que considere oportunas.

G. Primera pregunta: ¿Es cierto, como aseguran algunos psicoanalistas al analizar el cuento de la Caperucita Roja, que aquel lobo feroz simbolizaba la primera menstruación de Caperucita Roja e incluso el descubrimiento de su sexualidad?

H. El lobo da la razón a los psicoanalistas. Más aún: opina que a su colega del famoso cuento le corresponde el papel de macho agresivo y que el acto de devorar a Caperucita significa el acto sexual.

I. Segunda pregunta: ¿No parece más que probable que fuese la propia Caperucita la que, con la excusa de ir a ver a su abuelita, esparciese sus feromonas por el bosque, sabiendo que de ese modo podría atraer a los más bellos pastores?

J. El lobo me dice que no conoció personalmente a Caperucita, que no puede opinar sobre ese punto y que sería mejor preguntárselo al lobo del cuento.

K. Le recuerdo que a aquel lobo le mataron los pastores y que hace años que ya no existe.

L. El lobo se pone súbitamente triste y me dice que también él está ahora como muerto y que después de tantos años de vivir en la más absoluta de las soledades, ha olvidado el olor de la hembras.

LL. Le doy las gracias por su amabilidad –comprendo que no le falta su parte de razón– y me despido del lobo con uno de esos estúpidos «hasta la vista» con el que se despiden muchas personas que muy posiblemente no volverán a encontrarse ni por casualidad en todo lo que les resta de vida. Fin del cuento.

A mí me parece que todos esos puntos, debidamente desarrollados, podrían formar el cañamazo de una bonita historia. Puede, pues, que un día de éstos empiece a escribirla, sin dejar por eso de componer de vez en cuando algún que otro soneto y de seguir llevando este pequeño Diario.

No ha venido a verme Roque. Esta noche ni siquiera lo he oído maullar por los alrededores. Pensé, pues, que no valía la pena encender la chimenea.

15 de abril

1

Juan me ha traído más patatas. No quiere que me muera de hambre. Me ha prometido además el viejo televisor que tiene en su casa cuando le instalen el nuevo.

–Tenemos pendiente la entrevista a tu perro –le recordé–. No olvides que quiero que me explique por qué me ladra tanto.

No dijo ni que sí, ni que no. Es un tipo de pocas palabras y me parece que tampoco se atreve a decirme todo lo que piensa.

2

Esta tarde viene a verme Roque y hablamos a propósito del cuento del lobo solitario. No está de buen humor. Dice que no le parece normal que los lobos tengan voz de barítono y que vivan en casitas de renta limitada.

–Puede que no lo sea en la vida real –reconozco–, pero es normal en las fábulas que nos inventamos los hombres para comprender mejor la realidad.

No da su brazo a torcer. Me recuerda que hace muchos años que dejé de ser un niño y que debería terminar para siempre con todos mis sueños infantiles.

No me gusta ese tipo de consejos. Nadie debe renunciar a sus sueños infantiles. Triste es el hombre en el que nada queda del niño que fue alguna vez.

–Pues a mí me parece –le digo, pensando en la fábula del lobo– que si le diese el tratamiento de novela podría interesar incluso a los lectores de este país, a pesar de que muchos tienen el gusto viciado por tantas novelas de guerras y posguerras.

Roque se muestra esta noche de lo más intransigente y me dice que también le parece imposible que los hombres entrevisten a las vacas y a las arañas y que ellas le respondan como si tal cosa.

–¿Y te parece normal –replico, apuntándole con el dedo– que a un simple gato como tú se le salten las lágrimas hablando de Cleopatra?

Roque me pide que no diga más tonterías, porque sé muy bien que no es él quien habla, sino yo mismo.

–¿Piensas pues –le pregunto– que en este momento, mientras parece que estamos discutiendo, estoy en realidad hablando solo?

No se atreve a responder. Se limita a decirme otra vez que me he inventado un mundo imposible y que la culpa de que me lo haya inventado no es sólo mía y que hay que tener también en cuenta una serie de circunstancias de las que yo no soy responsable y que en estos momentos no viene al caso recordar.

16 de abril

1

Ayer noche (poco después de que se fuese Roque) me llegó la inspiración y estuve escribiendo durante casi toda la noche. Terminé cuatro sonetos y cuando estaba a punto de acabar el quinto me quedé de pronto sin inspiración por culpa de un asno que se puso a rebuznar al pie de mi ventana.

–¿Por qué rebuzna usted a estas horas? –le pregunté, asomando la cabeza.

El asno levantó la mirada y me contestó que cada cual tiene su forma de demostrar su condición de poeta. Me explicó también que la gente piensa que los asnos sólo rebuznan por hambre o por amor, pero que la realidad es otra y que algunas veces rebuznan también para demostrar a todo el mundo la admiración que pueden llegar a sentir por alguna cosa.

Le pregunté si era cierto que cultivaba también la poesía y respondió que la cultivaba con sus rebuznos y que en eso se parecía a otros hombres que también van por ahí blasonando de poetas.

–Vivimos en democracia –le dije entonces– y nadie puede impedir ahora que los asnos rebuznen y compongan sonetos al mismo tiempo.

Me metí por fin en la cama pero no pude conciliar el sueño porque el asno continuó rebuznando hasta que se hizo de día.

«Mirándolo bien», me dije entonces, «siempre hay un motivo para rebuznar.»

Me quedé por fin como un tronco y a media mañana me despertaron los maullidos de Roque en el zaguán.

2

Son las cuatro de la tarde. Roque continúa merodeando por toda la casa. Sabe que estoy esperándole frente al fuego y sabe también que tiene su almohadón a punto –los gatos intuyen esas y otras muchas cosas–, pero quiere hacerme sufrir un poco. Prefiere ir de una parte a otra, registrando todos los rincones. En cierto modo, me gusta que se tome esas libertades. Significa que ese granuja me está cogiendo confianza y que cada día que pasa se siente más a gusto en esta casa.

Mientras Roque maúlla ahora en la cocina, leo por segunda vez los tres poemas que compuse ayer noche. Son muy malos, ahora lo veo claro. Casi siempre me pasa lo mismo: lo que por la noche me parece bien, al día siguiente no se sostiene de pie. Puede que a los otros poetas les suceda lo mismo.

Los maullidos de Roque suenan otra vez en el desván. Hay que ver con qué rapidez ese pícaro sube y baja por las escaleras. Cuidado. Tengo miedo de que descubra a Matilde. Será mejor que suba a echar un vistazo. Consigo coger al gato por el cogote y lo bajo al salón.

–¿Por qué maúllas hoy de ese modo tan raro? –le pregunto–. ¿Por qué no quieres estar a mi lado?

Hay días en los que no nos queda más remedio que raptar a nuestros amigos.

17 de abril

1

Corre un vientecillo que corta los labios. A pesar de todo, me apetece salir de casa y dar una vuelta por los alrededores del pueblo. A mal tiempo, buena cara. De vez en cuando conviene estirar las piernas.

Paso por delante de la herrería y el perro de Juan, como siempre, se pone hecho una fiera. No sabe que tenemos pendiente una entrevista y que cuando lo tenga cara a cara pienso preguntarle por qué razón me ladra tanto.

María se asoma a la ventana y me guiña los dos ojos, primero el derecho y luego el izquierdo. No sé qué querrá decirme con eso, puede que no tenga ningún significado especial, pero, por si acaso, yo también le guiño los ojos, aunque al revés, es decir, primero el izquierdo y luego el derecho. No estoy acostumbrado a hacer esas cosas y se ríe de la cara que he puesto. Me cuenta que Juan ha ido al pueblo vecino a buscar el televisor nuevo y que no volverá hasta bien entrada la noche. Luego lanza una mirada hacia la plaza, se asegura de que no hay nadie por los alrededores y me invita a subir.

Nada de eso. Le contesto que tengo muchas cosas que hacer, le digo adiós con la mano y continúo mi paseo. Llego a las afueras del pueblo y me siento al pie de la cruz de piedra.

Quiero que esta mañana todo el mundo me vea derrumbado al pie de esta cruz y que saque luego sus propias conclusiones. Durante una hora larga, sin embargo, nadie entra ni sale del pueblo. Parece como si todos los vecinos se hubiesen puesto de acuerdo para no dejarse ver por aquí. Llega una nube, se esconde el sol y regreso a casa.

Vuelvo a cruzar por delante de la casa de Juan, pero esta vez no está el perro montando guardia y me ahorro sus ladridos. Tampoco está su mujer.

2

Encuentro al alcalde saliendo del Ayuntamiento. Me dice que acaba de hablar con su sobrino por teléfono, que me envía muchos recuerdos y que está esperando que le envíe alguna entrevista para publicarla en la revista ecológica de su amigo.

Me parece bien. Tengo escritas varias entrevistas donde elegir, aunque me parece que la mejor es la que le hice el otro día al gallo de Juan. Puede incluso que me decida a escribir una entrevista especial inspirada en el lobo solitario.

Una vez elegida, la pasaré a mano con letra muy clara –para que luego puedan leerla sin problemas–, la meteré en un sobre y luego se la llevaré personalmente al alcalde para que sea él quien la envíe a su sobrino.

18 de abril

1

Los acontecimientos se aceleran. Otra vez ha venido a verme el alcalde. Tiene nuevas noticias de su sobrino. Esta misma mañana ha vuelto a telefonearle para decirle que su amigo ecologista está preparando un número especial de la revista dedicado a la mixomatosis y que quiere que les envíe cuanto antes alguna cosa a propósito de los conejos de este pueblo.

–No sé, no sé, tendré que consultarlo con la almohada –le he contestado al alcalde, para darme un poco de importancia.

2

Acabo de comentar con Roque la nueva propuesta del sobrino del alcalde. El gato, como siempre, desconfía. Me ha recordado que no sé nada de mixomatosis y he replicado diciéndole que yo no tengo que escribir sobre mixomatosis. Lo único que tengo que hacer es limitarme a entrevistar a cualquier conejo y preguntarle cuál es su opinión sobre esa plaga.

–En todo caso –observo–, será el conejo y no yo quien se comprometa con las respuestas.

3

No tengo ni pizca de sueño. Me he quedado solo ante el fuego, que languidece poco a poco. Hace un rato Roque se fue sin despedirse.

Continúo dándole vueltas a la entrevista del conejo. Hace un momento llegué a preguntarme incluso si los conejos son también capaces de hablar.

«¿Y si ellos, por lo menos, no pudiesen hacerlo?», me pregunté, contemplando mi propia cara reflejada en un espejo de bolsillo que hace un par de días encontré en el fondo de un baúl. «¿Y si para los conejos las cosas fuesen como han sido siempre?»

No supe qué responderme y, además, tampoco me gustó mucho la cara que encontré en el espejo, en el que, de vez en cuando, puedo verme a mí mismo. Me descubrí con los ojos más rojos que nunca y la frente llena de arrugas. Me parece incluso que durante estos últimos días se me han caído un montón de pestañas.

Me pregunto qué razones existen para que durante estos últimos días se me haya puesto esta cara.

Por lo que respecta al conejo, no cuesta nada probar. Seguro que Juan tiene algún conejo en su casa. Lo único que tengo que hacer, si llego a entrevistarle, es olvidarme de todas sus connotaciones eróticas. Cuando seleccione al conejo –que será no el más grande, sino el que me parezca más despierto–, lo sacaré de la conejera, me lo llevaré a un sitio tranquilo donde nadie pueda vernos y le haré unas cuantas preguntas en voz baja, sin meterle prisas, para que no se me ponga nervioso.

En estos momentos no sé qué clase de preguntas pueden ser ésas, pero ya se me ocurrirán.

«Lo ideal sería encontrar un conejo de Angora», pienso, con la mirada puesta en la pequeña llama azul que agoniza alrededor del tronco medio consumido.

Hace unas semanas, por cierto, leí en alguna parte que durante estos últimos años la cría de conejos de Angora ha registrado un gran incremento y que se ha convertido en una de las ramas más prósperas de la cunicultura.

Para empezar, por lo tanto, podría preguntarle a ese hipotético conejo de Angora si se siente orgulloso de que su pelo tenga ahora tanta aceptación en la industria textil.

19 de abril

Tal como suponía, Juan tiene un par de conejos de Angora. Me los presta sin poner ninguna pega. Elijo el que me parece más despierto, lo meto en

64

una bolsa, me lo llevo a casa y lo suelto en el zaguán. El conejo se escapa corriendo a un rincón y se queda mirándome a los ojos.

Le pregunto si se siente orgulloso de su pelo y no responde. Vuelvo a repetirle la pregunta y continúa sin decir nada.

«A lo mejor ese pobre bicho no sabe todavía que es capaz de hablar», pienso.

–¿Te enorgulleces de que tu pelo tenga hoy tanta aceptación en la industria textil? –le pregunto.

Y por fin me responde que sólo se siente orgulloso hasta cierto punto, porque les esquilan con demasiada frecuencia.

Me parece una respuesta inteligente. Las esquiladas no deben de resultar agradables, aunque se hagan con una máquina eléctrica.

Sigo preguntándole si es cierto que algunos fabricantes mezclan todavía el pelo de los conejos de Angora con lana de oveja. Responde que sí, pero que sólo lo hacen los fabricantes con menos escrúpulos. Luego, volviendo al tema de las esquilas, me explica que la parte más difícil de esquilar es el vientre, sobre todo cuando se trata de hembras, porque si los esquiladores no se andan con cuidado pueden lesionarles las tetas.

–¿Has dicho lesionarnos? –le pregunto–. ¿Vas a decirme ahora que eres una coneja?

Responde con cierta altanería que, en efecto, es una hembra y que se siente orgullosa de serlo. Me quedo con la boca abierta. Establece una breve pausa y luego me confiesa que no sólo es hembra, sino que es también hija de un conejo macho y que el suyo es el único caso que se conoce en todo el mundo.

–Eso es falso –le digo, acusándola con el índice.

No replica. Parece importarle un pito lo que yo pueda pensar. Dicho de otro modo, le importa tanto mi opinión como me importa a mí lo que pueda pensar de mi persona la gente de este pueblo.

21 de abril

1

He pasado la entrevista del conejo a limpio y se la he llevado al alcalde. Puede mandársela a su sobrino cuando quiera. Yo he cumplido lo que les prometí.

Esta mañana he devuelto el conejo a Juan. Su mujer me miró a los ojos de un modo bastante raro. Seguro que se están muriendo de ganas de preguntarme cómo me las he arreglado esta vez para pegar la hebra con un animal tan pequeño y tímido, pero he llegado en mal momento porque les están instalando el nuevo televisor y parecen un poco nerviosos.

2

Son ahora las nueve de la noche. Roque no viene a verme. El fuego, por suerte, me acompaña. Es un

66

compañero fiel que merece que le conozca a fondo. Esta tarde he aprendido en uno de mis libros que en cualquiera de esas llamas que se enroscan alrededor de los troncos pueden distinguirse tres partes:

A. La más interna, cónica y oscura, formada por los gases que han de inflamarse.

B. Una región envolvente, donde los gases sufren la combustión parcial por falta de aire, dejando carbono libre que se pone incandescente y se apodera del oxígeno de los cuerpos colocados en ella.

C. Una cubierta externa, delgada, poco brillante, que envuelve a las dos zonas anteriores y en las que se realiza la combustión total de todos los elementos por hallarse en contacto con el oxígeno.

3

Doce de la noche. Muchas veces pienso en el amigo que un día decidió arder como una tea y marcharse al otro mundo envuelto en llamas.

23 de abril

Regreso a la colina. Encuentro al rebaño poco más o menos en el mismo sitio donde lo dejé el otro día. Las ovejas me reconocen a las primeras de cambio y balan alegremente. El pastor me saluda otra vez levantando el brazo con el paraguas. Es un hombre bajo, casi más ancho que alto, y a casi todos los hombres bajos les gusta levantar el brazo y tenerlo levantado mucho tiempo por encima de la cabeza.

–Adelante –me anima el buen hombre–. Hágales todas las preguntas que quiera, pero no se haga demasiadas ilusiones porque tal vez hoy no quieran contestarle. Con las ovejas nunca se sabe.

Lo peor sería que hoy no quisieran responderme. Me darían pie para sospechar que el otro día las otras ovejas tampoco respondieron realmente a mis preguntas. Preparo la libreta y el bolígrafo y me encaro con la primera oveja que me sale por la derecha.

Le pregunto cuántos años tiene. No es que me interese saberlo, pero es lo primero que se me ocurre. La oveja responde que los calcule yo mismo porque no piensa decírmelo. Tanto ella como sus compañeras están cansadas de responder las preguntas que les hacen los individuos que cada día, haga frío o calor, suben desde el fondo del valle. Me dice asimismo que le fastidia la curiosidad de los hombres.

–Tienes razón, la curiosidad es mala –observo–. Por culpa de la curiosidad los hombres perdieron el paraíso.

Le pregunto luego si me considera un hombre como los otros y la oveja responde que, poco más o menos, soy como todos los demás, y que no tengo que hacerme la ilusión de que soy distinto.

No sé cómo interpretar esas palabras. Puede que no sea una respuesta de la que pueda sentirme orgulloso, teniendo en cuenta cómo son la mayoría de hombres.

Vuelvo a preguntarle cuántos años tiene y la oveja levanta el labio superior y me enseña los dientes para que sea yo mismo quien se los calcule. A lo mejor me toma por un tratante de ganado. Para facilitarme las cosas me confía su fórmula dentaria y me explica que al poco de nacer empezaron a despuntarle las pinzas y los primeros molares. Me habla también de primeros, segundos y terceros molares temporales, de segundos medianos y extremos, y, para terminar, me dice que a los tres meses de haber nacido sus incisivos de leche eran aún demasiado chicos como para suministrar informaciones concretas.

Acabo de apuntar todo eso en mi libreta y pienso que tengo ya material suficiente para escribir la entrevista. Me he quedado, sin embargo, sin saber cuántos años tiene, pero pondré que ha cumplido los treinta y cinco.

Le doy las gracias al pastor. Mientras estuve hablando con la oveja no me quitó la mirada de encima. Le digo adiós, y regreso al pueblo con la satisfacción del deber cumplido.

Compruebo una vez más que prefiero bajar por los senderos más empinados porque siento un cosquilleo muy agradable que me recorre de punta a punta la columna vertebral y que, sobre todo, me alegra la parte donde hace muchos años tuvimos el rabo.

27 de abril

Los días van pasando, pero la primavera no llega. Es cierto que no ha llovido durante todo el día, pero las nubes no me han dejado ver el sol.

Esta tarde Roque me preguntó por Matilde y dijo que le gustaría conocerla personalmente.

–Continúa en el desván y es muy posible que a estas horas esté durmiendo –le contesté.

Roque observó entonces que las arañas nunca duermen, que están siempre al acecho y que, en todo caso, duermen con un ojo abierto y el otro cerrado.

–Es mejor que no te preocupes tanto por esa araña –le aconsejé, adivinando sus intenciones–. No quiero que la toques. Todavía tengo que hacerle algunas preguntas a propósito de sus amoríos y puede que se las haga mañana, porque estamos en plena primavera y la naturaleza nos invita a hablar de amor.

Apenas acabé de decirle eso, Roque se echó a reír a carcajada limpia y me preguntó si todavía estoy empeñado en que estamos en primavera.

Dos no discuten si uno de ellos no quiere, así es que preferí no replicar. Me llené el vaso de vino, luego me llené otros tres o cuatro y poco a poco me fui poniendo triste sin saber por qué.

–¿Tú crees, amigo Roque –le pregunté al cabo de un rato–, que el vino a granel embota la inspiración? ¿A ti te parece que un hombre como yo puede ser poeta?

Tuve que repetirle la pregunta un par de veces y por fin me contestó que no era quién para juzgar mis poemas, pero que no tenía más remedio que decirme que, a juzgar por mi aspecto, nadie podía sospechar que era poeta. Le pregunté de qué tenía pinta y me dijo que de cualquier cosa que no tuviese nada que ver con la poesía.

Aquellas palabras me sentaron como un tiro. Fui a decirle que no se debe juzgar a nadie por su aspecto, pero antes de que pudiese abrir la boca para hacerle esa observación empezó a hablarme de un antepasado suyo que por las noches dormía en una especie de trono, y mientras me lo estaba contando se le fueron cerrando los ojos hasta que se quedó dormido.

30 de abril

Esta mañana el alcalde me ha dicho que a su sobrino le parece estupenda la entrevista que le hice al conejo y que le gustó también mucho al amigo de su sobrino, que es el director de la revista ecológica.

–Cada semana puedes hacer una entrevista –dice–. Tú me las das a mí y yo se las enviaré a la ciudad. Luego haremos correr la voz por toda la comarca y el pueblo se llenará de forasteros que querrán conocerte.

Me cogió por el brazo, fuimos a la taberna y me presentó a todos los que estaban dentro, aunque algunos ya me conocían de vista. Me invitaron a beber y acabamos cantando a coro las canciones de siempre.

Cuando nos cansamos de cantar volví a casa haciendo eses y encontré a Roque esperándome. Estaba tumbado sobre el almohadón, pero el fuego estaba apagado y eso le había puesto de mal humor.

Le conté lo que me había dicho el alcalde y cómo me habían aplaudido en la taberna y me contestó que el alcalde, su sobrino y la gente del pueblo en general se estaban quedando conmigo, es decir, que tenía la impresión de que estaban tomándome el pelo.

Me soltó también que le parecía increíble que no me diese cuenta de algo tan evidente y, para terminar el sermón, me dijo que algunas veces pensaba que sí que me daba cuenta, pero que hacía como las avestruces que esconden la cabeza debajo del ala y no quieren enterarse de lo que está sucediendo a su alrededor.

Lo peor es que yo estaba demasiado borracho y no supe replicarle lo que se merecía. Le dejé pues con la palabra en la boca y me fui a la cama sin registrar en este Diario los principales acontecimientos del día, que, por lo general, es lo último que hago cada noche.

Todo lo que están ustedes leyendo en estos momentos lo escribí, pues, esta mañana, aunque haya puesto la fecha de ayer.

1 de mayo

Esta mañana fui con Juan a dar una vuelta por los alrededores del pueblo. Tengo la impresión de que ese hombre me ha cogido aprecio. Fuimos hasta el cementerio, le enseñé el lugar donde hace unos días estuve hablando con la serpiente y él me mostró la tumba donde está enterrado mi tío. Luego nos dimos la vuelta y por el camino empezó a contarme algunos chismes del alcalde y de su sobrino, pero se quedó a medias, y después de estar un buen rato sin abrir la boca empezó a contarme cosas de mi tío.

–Lo que no acabo de entender –le dije entonces– es por qué hay gente que nace con un ojo más grande que otro.

Juan dijo que tampoco él lo entendía, pero que de vez en cuando no tenemos más remedio que aceptar las cosas como son, en lugar de pasarnos la vida dándoles vueltas y más vueltas. Luego me contó que mi tío se pasó muchos años viviendo más solo que la una en la misma casa donde yo vivo ahora, y que había días en los que se pasaba las horas muertas sentado en el banco de la plaza sin hablar con nadie. Algunos del pueblo quisieron meterlo en un hospicio, pero el hombre resistió y al final consiguió morir en su cama.

–Eso es también lo que a mí me gustaría –suspiré, pensando en los días que pasé en el hospital.

Al volver a casa encontré a Roque durmiendo sobre mi cama –los gatos encuentran siempre los me-

73

jores sitios para dormir– y le desperté tirándole de los pelos del bigote.

–Si yo no puedo presumir de ser un buen poeta –le dije–, tú tampoco puedes estar seguro de ser descendiente de Cleopatra.

Roque saltó de la cama como un rayo y se instaló en el alféizar de la ventana. Desde ahí me preguntó por qué le decía aquello y le contesté que con los gatos nunca se sabe.

–Podéis estar seguros de quién fue vuestra madre –le dije–, pero nunca de quién fue vuestro padre.

Roque no tiene un pelo de tonto y comprendió que estaba enfadado porque había tenido el valor de decirme que no tenía pinta de poeta. Repliqué diciéndole que lo que menos me importaba en este mundo era lo que pudiese pensar sobre mi persona un gato tercermundista y montaraz que ni siquiera tenía el detalle de hablar conmigo en voz alta, de forma que pudiese oírle todo el mundo.

Roque saltó al suelo y se alejó lentamente hacia las escaleras, con la cabeza erguida y el rabo apuntando al techo.

–Muy bien –me dijo, mientras bajaba por la escalera–. Ya que te pones en ese plan te diré que no sólo eres un poeta mediocre, sino también un hombre mezquino y cruel que se venga de los pobres gatos indefensos tirándoles de los pelos del bigote.

Puede que tarde unos días en volver por esta casa. He oído decir que los gatos son rencorosos y que no perdonan fácilmente a quienes los ofenden.

74

2 de mayo

1

–¿Con quién habla usted por las noches? –me pregunta esta mañana la vecina que vive en la casa de al lado.

No encuentro ninguna razón para ocultárselo y le digo que algunas noches hablo con Roque. Me pregunta quién es Roque y le explico que es el gato del otro vecino que de vez en cuando viene a charlar un rato conmigo.

La vieja se me queda mirando a los ojos y me enseña un par de dientes que se le montan por encima del labio superior. Creo que son de esa clase de dientes que crecen cada día un poco, como las uñas. Le sostengo la mirada sin ponerme nervioso y le digo que siempre había pensado que las casas de los pueblos tenían las paredes más gruesas que las de la ciudad, de forma que lo que se hablaba en una casa no podía oírse en la casa vecina.

–Lo que pasa es que por las noches se oye todo –me explica la vieja, que seguramente tiene el oído tan fino como un tísico.

Y luego, sin dejar ni por un momento de mirarme a los ojos, me explica que si se había extrañado al oír voces en mi casa fue porque le habían dicho que iba a vivir solo.

–Pues mire, buena mujer –le suelto, un poco fastidiado por la forma que tiene de mirarme–. Ya que se pone usted así, voy a decirle una cosa: yo soy de la opinión de que cuando los hombres están solos, tienen perfecto derecho a hablar en voz alta, aunque sea con ellos mismos. Tienen incluso derecho a discutir con su propia sombra como si fuese otra persona, y a llenar toda sus casa de voces y ruidos.

Es una vieja muy brava, no tengo más remedio que reconocerlo, y ni siquiera deja de mirarme a los ojos mientras le estoy diciendo todo eso. Parece como si quisiese meterse dentro de mí para ver qué es lo que tengo por dentro. Seguramente es la primera vez que esa buena mujer habla con alguien como yo.

–Además –le digo, tapándome los ojos con las manos para perderla de vista–, lo más probable es que me oiga hablar otras noches con el gato, aunque no venga a verme.

–Usted sabrá qué es lo que hace –suspira la vieja.

Y después de decirme eso esconde los dos dientes, se santigua con parsimonia, se mete en la casa y corre el cerrojo de la puerta.

2

Después de releer lo que he escrito esta tarde, creo que hubiese tenido que decirle también a mi vecina que algunas veces, después de recitar mis poemas subido en una silla, me aplaudo a mí mismo hasta que me duelen los brazos.

La verdad es que no me considero tan mal poeta como dicen algunos. Ciertos amigos que entienden bastante aseguran que llevo la poesía en la sangre. Algunas veces, sin embargo, me hago ciertas preguntas que seguramente no se han hecho nunca otros poetas solitarios.

–¿Por qué escribimos siempre los poemas poniendo un verso debajo del otro? ¿Por qué lo hacemos así, cuando disponemos de tanto espacio libre a la derecha y a la izquierda de lo que ya tenemos escrito? ¿Por qué los poetas malgastamos tanto papel?

3

Las once de la noche. Sopla el viento con tanta fuerza que algunas campanadas se van hacia el otro lado del pueblo y apenas se oyen. Roque no ha venido a verme. Seguramente continúa enfadado. Peor para él, porque, como decía mi tía, los que se enfadan tienen dos trabajos: primero, enfadarse, y luego, desenfadarse.

3 de mayo

1

Esta mañana el alcalde me mandó aviso para que me presentase en el Ayuntamiento con la libreta de entrevistas. El chico que vino a buscarme de su parte me dijo que quería presentarme al alcalde del pueblo vecino.

Les encontré reunidos en una habitación del primer piso, sentados alrededor de una mesa. Seguramente estaban allí para hablar de otras cosas más importantes, pero al verme entrar el alcalde se levantó de la silla y me presentó a su colega.

–Aquí donde le ves –le explicó, mientras me quitaba de la mano la libreta de las entrevistas– este chicarrón es capaz de hablar con todos los animales del pueblo.

–Eso no me lo creo ni muerto –dijo el otro alcalde, que tenía la cabeza como una sandía.

–Pues aquí tengo la prueba –le dijo el alcalde, levantando la libreta por encima de la cabeza.

Luego me devolvió la libreta y me pidió que les leyese algunas entrevistas.

–Las que más te gusten –me dijo, mirando el reloj–. Con un par habrá suficiente.

En aquel momento no tenía muchas ganas de leer, pero insistieron tanto que no me quedó más remedio que leer en voz alta la entrevista del gallo.

–Ahí lo tienes –exclamó luego el alcalde, guiñándole el ojo a su colega–. ¿Tenía o no tenía razón?

El otro alcalde dijo que la entrevista le había parecido muy bien, pero que no demostraba que yo hubiese hablado realmente con el gallo, y que a lo mejor me había inventado las respuestas.

–Muy bien –intervino el alcalde–. La semana que viene entrevistaremos al último mulo que queda en el pueblo y tú estarás delante.

Me despidieron dándome unas cuantas palmadas en la espalda y se pusieron otra vez a hablar de sus cosas. Luego, mientras volvía a casa, estuve pensando por qué el alcalde había dicho «entrevistaremos».

«Yo creo», pensé, «que el hecho de que sea el alcalde no le autoriza a hablar de ese modo.»

2

Roque continúa sin dejarse ver. Hace ya tres días que no aparece. Le echo de menos, mentiría si dijese otra cosa. Estas noches sin compañía son muy duras y me siento tan desanimado que ni siquiera me tomo la molestia de encender el fuego.

5 de mayo

1

El director de la *Revista Ecológica* me ha llamado desde la ciudad al teléfono del Ayuntamiento y dejó dicho que volvería a llamarme a las diez de la mañana.

A las diez menos cinco ya estaba en el Ayuntamiento, sentado junto al teléfono, pero tuve que esperar hasta las diez y media antes de que sonase el timbre. Me fastidia la falta de puntualidad de la gente. El alcalde descolgó el teléfono, contestó que sí, que me tenía sentado delante de él, y me pasó luego el auricular con cara de misterio.

Voy a contarles ahora lo que me dijo el director

de la revista con el menor número posible de palabras porque, como ya les dije el otro día, ése es el mejor modo de contar las cosas.

Ante todo, ese buen hombre –a quien me gustaría mucho conocer personalmente– me felicitó por la entrevista al conejo de Angora. La única pega que ha puesto es que la encontró un poco corta. Le dije que podía alargarla todo lo que hiciese falta, y me dijo que no, que lo que tenía que hacer lo antes posible era escribir un artículo sobre los escarabajos peloteros, que podría complementarse con alguna entrevista.

–Lo siento, pero nunca he hablado con un escarabajo pelotero –le contesté–. Nunca lo hice y no pienso hacerlo ahora. Ni siquiera sé si esos bichos podrían entenderme.

Entonces me pareció que al otro lado del teléfono se echaban a reír y cuando les pregunté qué era lo que estaba pasando cortaron la comunicación.

–Creo que algún gracioso tiene ganas de cachondeo –le dije al alcalde, que seguía sentado al otro lado de la mesa.

Y el hombre se encogió de hombros y puso cara de circunstancias, como si no supiese de qué le estaba hablando.

2

Doce de la noche. No puedo dejar de pensar en los escarabajos peloteros.

¿Y si pudiese hablar también con esas misteriosas criaturas? ¿Y si mi amor fuese capaz de llegar tan lejos?

Se levanta en algún corral el canto de un gallo y, enseguida, el apresurado cacareo de las gallinas. Cuidado: no es normal que los gallos canten a medianoche.

3

Tres de la madrugada. Puede que la culpa la tenga el vino (reconozco que he bebido más de la cuenta), pero las gallinas continúan cacareando. Si Roque estuviese ahora a mi lado le preguntaría por qué cacarean a estas horas, pero ese gato rencoroso continúa sin dar señales de vida.

6 de mayo

Una de la noche.

El día ha transcurrido sin nada especial que reseñar. La lluvia ya no es noticia, así que no vale la pena que hable de ella. Me limitaré a consignar que hace dos horas que está diluviando. Buen tiempo para las ranas.

Esta tarde, por cierto, me he preguntado si valdrá la pena que un día de éstos entreviste también a una rana.

Que nadie se ría, porque las ranas tienen muchas cosas maravillosas que contar a los hombres que sepan y quieran escucharlas. Son dueñas de formidables secretos. Son las grandes reinas de la metamorfosis y símbolo indiscutible de la resurrección. Son, asimismo, encarnación de la tierra fecundada por las primeras lluvias primaverales.

En fin, ya veremos mañana con quién hablo y a quién entrevisto. No quiero precipitarme. Me conviene elegir a mis interlocutores con mucho cuidado, teniendo en cuenta la delicada situación en la que me encuentro. Lo cierto es que hoy he preferido no salir de casa. Me he pasado el día corrigiendo los poemas que compuse la noche de los rebuznos y creo que, por desgracia, no tienen arreglo. Ya sé que en esta vida todo es fruto del esfuerzo y que nada se nos da hecho, pero algunas veces pienso que tal vez no valga la pena insistir y esforzarse en ir más allá de nuestras posibilidades.

Mientras escribo todo esto oigo maullar a Roque. Es él, no puede ser otro. A pesar de la lluvia, no renuncia a sus correrías nocturnas. Seguro que también se siente solo, pero la culpa es suya. Si ahora estuviese a mi lado le encendería el fuego y le preguntaría qué opinión le merecen los escarabajos peloteros.

Hay días en que lo ves todo negro. La culpa la tiene esta primavera que se me niega. Me angustia pensar que el mes de mayo haya cumplido su primera semana y que la naturaleza no se decida aún a renovar sus esperanzas en un mundo mejor.

7 de mayo

1

María me ha traído esta mañana a casa el conejo de Angora que el otro día dejé sin entrevistar. Me dice que Juan ha vuelto al pueblo vecino a cambiar el televisor nuevo que les trajeron el otro día porque no funciona como Dios manda.

–Ya sé que eres un pillo y que te gustan los conejos –me soltó apenas entró en el zaguán. Y luego se echó a reír de su propia ocurrencia.

A pesar del frío vino a verme con un vestido rojo muy ceñido que le marcaba todo lo que hay que marcar. Soy tonto, pero no tanto. No es normal, pensé al verla, que una aldeana se vista de esa forma.

Hice como si no me diese cuenta y le contesté que sí, que me gustaban mucho los conejos, sobre todo los de Angora. María dejó el conejo encima de la mesa y me pidió que le preguntase alguna cosa, a ver qué me decía.

–Muy bien –le dije–. Vamos a ver pues qué es lo que nos cuenta este caballerete.

Le hice unas cuantas preguntas fáciles, pero no me respondió. Insistí durante un ratito (fui cambiando incluso de preguntas), pero desde el primer momento vi que no tenía la menor intención de hablar.

–Lo siento, pero este conejo no habla –le dije entonces a María, devolviéndole el conejo–. Lo que no puedo decirte es si no habla porque no quiere o por que no puede.

María comprendió entonces que no iba a conseguir nada y se puso de mala uva. Me dijo que a lo mejor el conejo no quería hablar conmigo porque se había dado cuenta de que yo estaba borracho.

–¿Quién está borracho? –protesté.

Y para demostrarle que no lo estaba doblé una pierna y me sostuve sobre un pie. Luego extendí los brazos en cruz. Ésa es la prueba que suelen hacer todos los borrachos cuando se empeñan en demostrar que no lo están.

2

Las ocho de la noche. Juan me trae el televisor viejo. Por si las moscas, prefiero no decirle que su mujer vino a verme esta mañana con la excusa del conejo.

Un amigo de Juan me instalará mañana el televisor en la sala de arriba, frente a la mecedora. De ese modo, podré hacer al mismo tiempo tres cosas distintas: mecerme en la mecedora, ver la televisión y calentarme al fuego..., suponiendo que algún día me decida a encender otra vez la chimenea.

Roque, por cierto, continúa sin aparecer. No podía sospechar que fuese tan rencoroso.

8 de mayo

Soy un hombre y por esa sencilla razón he superado ya los ciclos primaverales, de eso no me cabe la menor duda. Trataré, pues, de consignarlo en este Diario con la máxima delicadeza: esta mañana me he despertado presentando armas. Me he contemplado desnudo en el espejo del armario y me he sentido avergonzado por mi propia exuberancia.

«No me parece correcto», me dije, «que los poetas líricos se pongan de este modo.»

9 de mayo

Domingo. Mañana cambia la luna. Lo he visto en el calendario. Puede, pues, que mañana cambie también el tiempo, aunque no me hago ya muchas ilusiones.

Hoy ha sido un día tranquilo. A media mañana tres o cuatro niños –entre ellos, el sobrino del alcalde– me trajeron una lechuza a casa y me pidieron que hablase un rato con ella. Hace un par de días la encontraron con un ala rota. La lechuza, que tenía la cara blanca y rojas y grises las plumas del dorso y de las alas, estaba bastante asustada.

–No se inquiete, señorita –le dije, haciendo un poco de teatro para impresionar a los niños–. No se asuste, porque no pretendemos darle un garrotazo. Los poetas no solemos recurrir a esos métodos. Lo único que queremos es charlar un ratito con usted.

–No creo que usted y yo podamos entendernos –me contesté a mí mismo, cambiando de voz, como si fuese la lechuza la que respondía–. Yo soy una criatura de la noche y usted ama el sol.

–Todo el mundo sabe que es usted un ave tranquila y reflexiva –continué diciéndole con mi propia voz–, pero algunos la consideran un pájaro de mal agüero y le acusan de estar siempre cerca de la muerte.

–Estar cerca de la muerte significa tanto como estar cerca de la vida –me respondí, cambiando otra vez de voz–. ¿No sabe usted que la muerte es una especie de vida puesta del revés?

–¡No le entiendo, no le entiendo! –protesté, poniendo cara de tonto, para que los niños se riesen un poco.

Y luego les expliqué, como si yo fuese el maestro y estuviésemos en la escuela, que si es cierto que la materia no se destruye, la muerte es sólo una especie de vida que se prolonga eternamente en la oscuridad.

–Será mejor que hablemos de otra cosa –les dije después, cambiando una vez más de voz–. Será mejor que le preguntemos a esta emplumada señora por qué está cambiando siempre de expresión.

–Cambio muchas veces de expresión –me respondí, a través de la lechuza– para hechizar a mis víctimas.

–Háganos inmediatamente una demostración –le exigí.

La lechuza ahuecó las plumas, dio un giro de ciento ochenta grados a su gran cabeza triangular y nos explicó que los ratoncillos que la miraban a la cara no podían comprender la razón de tantas muecas y que los pobres se quedaban sin poder moverse, atenazados por el pánico.

–¿Y por las noches? –le pregunté–. ¿Cómo se las arregla por las noches, cuando todo está oscuro y no se les puede ver la cara?

–Por las noches –me respondí, procurando que los niños no viesen cómo movía los labios– recurrimos a nuestros susurros y esparcimos por las tinieblas un sutil encantamiento que atrae sin remedio a los ratones hasta nuestras garras.

–Demuéstrenoslo, aunque sea de día –le pedí–. Demuéstrenoslo, aunque aquí no haya ratones.

Dejé pasar un momento y enseguida empecé a susurrar todas las canciones de lechuza que conozco. Cuando terminé, los niños empezaron a aplaudir con entusiasmo y me prometieron que cuando la lechuza tuviese el ala curada la abandonarían al pie del mismo olivo en el que la encontraron.

10 de mayo

1

Diez de la mañana. Un amigo de Juan que hace en el pueblo las veces de electricista me ha instalado el televisor en el piso de arriba, delante de la mecedora y relativamente cerca del hogar.

Juan piensa que a partir de hoy me sentiré menos solo. No lo sé. Vamos a ver. A lo mejor me siento todavía peor. Hace años tuve un televisor y ya sé de qué va la cosa. No me hago muchas ilusiones. La televisión es como un escaparate lleno de cosas que sólo te dejan ver, pero que no puedes tocar.

2

Seis de la tarde. Enciendo por primera vez el televisor, me siento en la mecedora y cierro los ojos. Cuando los abro ya está en la pantalla el hombrecito del bigote. Me lo encuentro de improviso, señalándome con el dedo.

–Tú eres un simple error de la naturaleza –me dice, sin dejar de apuntarme con el índice.

Y me hace sentir culpable de pecados que nunca he cometido. No debieran permitir que aparezcan en la pantalla tipos como ése. No entiendo, además, por qué hay individuos que se dejen crecer esos bigotitos infames. No sé qué es lo que quieren demostrarnos y, lo que es peor, tampoco sé a quién pretenden engañar.

Vamos a ver, de todas formas, quién engaña a quién. Al fin y al cabo, yo también dispongo de mis argumentos. Si ese individuo me habla de sus cosas, yo le hablaré de las mías.

Es una pena que Roque no esté aquí, para ver conmigo la televisión y presentar batalla común a ese individuo.

11 de mayo

1

Las diez de la mañana. Hace un rato se marchó Juan. Me trajo unas cuantas morcillas y un par de botellas de leche, pero no quiso quedarse a echar un trago, así que tuve que echármelo yo solo.

Me preguntó qué tal funcionaba el televisor y le contesté que muy bien, pero que de vez en cuando sale un tipo con bigote que parece que me la tiene jurada.

Juan se echó a reír y me dijo que es mejor estar mal acompañado que solo, que es precisamente lo contrario de lo que piensa todo el mundo.

2

Nueve de la noche. Ahí está otra vez ese granuja, apuntándome con el dedo. Ya sé que podría cambiar de canal y buscar otros rostros más amables, pero quiero castigarme con su presencia. Lo único que me permito es quitar el sonido y dejarle sin voz. De ese modo le obligo a gesticular en silencio.

Nos castigamos, pues, mutuamente: yo le castigo con el silencio y él me castiga con su bigote. Tal vez los dos salgamos purificados de este extraño juego.

12 de mayo

Hoy brilla un sol radiante. Salgo a dar una vuelta, enfilo el camino del cementerio y me siento en el sitio de siempre. Levanto la mirada al cielo y le doy las gracias por ser tan azul. Una pareja de cuervos se posa sobre el único ciprés del cementerio y proclama su amor a los cuatro vientos.

«También los cuervos se aman más allá de las primaveras», pienso.

Y al bajar la mirada al suelo descubro un sapo a un palmo de mis botas. Tiene la piel llena de verrugas, pero en su mirada se refleja el resplandor de lejanos incendios. Me pregunta si no me sorprende que los dos cuervos continúen amándose en pleno invierno y le contesto que no me sorprende, entre otras razones, porque no estamos en invierno, sino en plena primavera.

–Además –añado–, tienes que saber que los cuervos se aman siempre, incluso en invierno. Se conocen una mañana de primavera y continúan amándose hasta el final de sus vidas. Posiblemente esos dos cuervos acaban de jurarse por enésima vez amor eterno.

El sapo se siente picado en el amor propio. Replica que muy bien, pero que le explique, ya que soy tan listo, por qué él y yo somos tan distintos. ¿Usted cree –viene a preguntarme– que el hecho de que usted sea poeta y yo un simple sapo puede justificar que haya entre nosotros tantas diferencias?

Me dice también, saliéndose un poco de madre, que no le parece justo que, cuando llueve, yo pueda protegerme de la lluvia con un paraguas y él se quede a la intemperie.

–No seas ridículo –replico–. Nunca se ha visto un sapo con paraguas.

El sapo insiste. Me pide que dé una razón que pueda justificar por qué ellos no pueden ponerse una corbata de seda, ni llevar gabardina, ni presentarse a uno de esos concurso de la televisión en los que gana casi todo el mundo.

–Si vosotros hicieseis todo eso –le contesto– ya no seríais sapos. Las cosas son como son, amigo mío. Es inútil protestar. Piensa que los hombres no estamos consagrados a Saturno, como lo estáis vosotros, y que tampoco tenemos una voz tan dulce como la vuestra. Piensa también que a nosotros no se nos ha visto jamás en un aquelarre, vestidos con esos hermosos trajes de terciopelo verde que tan bien os sientan a vosotros. Todas esas cosas deberías tenerlas en cuenta. Pero hay además otras.

Quiere saber cuáles son esas otras razones y le digo que los sapos no pueden ser poetas y que de ese modo se libran de la tortura de la belleza inaccesible.

Ya sé que todo eso son grandes palabras y que pueden sonar incluso un poco huecas, pero queda bien soltarlas de vez en cuando. El sapo se queda rumiando. No parece convencido de mis argumentos y continúa entre mis botas, como si estuviese esperando el pisotón que acabe de una vez con todas sus miserias.

«No será mi bota la que te aplaste», pienso.

Ocho de la noche. En estos momentos Roque maúlla por los tejados vecinos. Cada vez está más cerca. No puede tardar mucho en perdonarme. Estoy seguro de que muy pronto le veré subir otra vez por esa escalera. Será emocionante. Me pedirá permiso para acostarse frente al fuego y yo se lo daré encantado.

Mientras tanto, ahí tengo al hombrecito del bigote ocupando toda la pantalla del televisor. No para de hablar. Hace un momento volvió a repetirme que yo era un error de la naturaleza, pero esta vez repliqué diciéndole que a lo mejor tenía razón, pero que me sentía muy orgulloso de ser como soy.

–Me reconforta saberme distinto –le dije.

No me importa que ese tipo no me quite la mirada de encima. Tampoco me importa que esté recordándome continuamente que dos y dos son cuatro. Me parece muy bien que nuestras aritméticas no coincidan. Podré resistir sus ataques.

13 de mayo

He vuelto a la colina. El pastor no se toma hoy la molestia de saludarme con la mano. Ni siquiera levanta el brazo para sentirse más alto. Lo único que hace es mirarme como quien ve pasar un bicho raro.

Tengo que confesar que he bebido bastante. Ya sé que no es normal desayunarse con vino tinto, pero algunas veces lo hago. Después de unos cuantos tragos uno se siente dispuesto a todo. Voy a donde pastaba la única oveja negra del rebaño me siento a su lado y le pregunto de sopetón si se siente discriminada en un rebaño de ovejas blancas.

La oveja negra responde que no y luego, entrando en más detalles, me explica que nunca ha conocido a una oveja que fuese racista y que jamás se suscitó un problema de racismo en los inmensos rebaños de ovejas que pastan por esta comarca. Seguramente ha dicho esa tontería porque cree que estoy borracho y piensa que a los borrachos se les puede contar cualquier cosa.

Le digo que parece muy segura de lo que dice y la oveja asiente con un par de movimientos de cabeza. Hay, pues, otra esquila que en estos momentos resuena gravemente en lo alto de la colina. Me dice que tampoco le consta que el ganado ovino sea racista en otros países, aunque admite que pueden darse algunos casos aislados. Para terminar, me habla de una razón muy simple que lo explica todo.

–Cuéntame qué razón es ésa –le pregunto, muerto de curiosidad.

La oveja me explica que hay compañeras suyas que hoy son negras, pero que mañana, si lo desean, pueden ser blancas, y que también puede darse el caso inverso. Le contesto que no puedo creérmelo y la oveja me explica que el color de la lana depende del río en el que las ovejas se bañen, o del agua que beban.

–Tampoco eso puedo entenderlo –le digo, entre dos hipos.

La oveja negra levanta la cabeza –vuelve a sonar la esquila– y me dice que lo entendería fácilmente si un día tuviese el valor de meterse en un avión para volar al país de los beduinos. Allí todas las ovejas son blancas porque así lo quiere el río de cuyas aguas aquéllas beben.

–Hablas de un modo bastante extraño –observo–. No entiendo ni jota. Seguramente lo haces a propósito.

La oveja me explica que en el país de los beduinos hay un río que vuelve blancas a todas las ovejas negras que se bañan o abrevan en sus aguas. Voy a decirle que tampoco creo que pueda existir un río semejante, pero en ese preciso instante se presenta el pastor. El muy pillo ha dado un rodeo para cogerme desprevenido por la espalda.

–Lo tuyo tiene mucho mérito –me dice, dándome un par de golpecitos en la cabeza.

Le pregunto qué es lo mío, y responde que lo mío es lo mío. No me gusta esa forma de hablar y para dárselo a entender me doy la vuelta sin decirle adiós ni darle las gracias, como hice las otras veces.

14 de mayo

El hombrecito del bigote aparece en la pantalla cada hora. Se pasa diez minutos pontificando y luego recoge los papeles que tiene encima de la mesa, se despide con un hasta luego y desaparece. Ese individuo se limita a leer los papeles que le dan otras personas, así que puede que no sea tan importante como pensaba. Lo más probable es que en la trastienda haya gente mucho peor que él moviendo los hilos.

A pesar de todo, esta tarde le solté cuatro frescas, y cuando se puso a hablar de las nuevas autopistas que van a construirse en la región, yo no quise ser menos y le hablé del sendero que conduce a lo alto de la colina y de la única vaca que vive en el pueblo, recordando a sus hermanas muertas y añorando los tiempos en los que fue ternera.

15 de mayo

1

Domingo, diez de la mañana. Llueve como siempre, de arriba hacia abajo. Así ha llovido siempre y así lloverá por los siglos de los siglos.

Voy a la plaza para ver cómo la gente sale de la iglesia, y encuentro a Juan, pero no a María. No es normal que el marido vaya a misa y la mujer se quede en casa. Juan me dice que María está resfriada como una sopa y que prefirió no salir a la calle.

Me invitan otra vez a comer. Han decidido invitarme todos los domingos del año, haga frío o calor. Supongo que piensan que de ese modo también pueden santificarse las fiestas. Quiero corresponder a la invitación y le digo a Juan que se venga un rato a casa, a echar un par de tragos. Al fin y al cabo, se trata de su propio vino.

–Si no aceptas mi invitación, tampoco aceptaré yo la vuestra –le advierto.

Vamos a mi casa y esta vez nos sentamos en la sala de arriba, que es donde dejé la bota esta mañana. Juan me pregunta si no me canso de la televisión y le digo que no, que me entretiene una barbaridad, sobre todo gracias al hombre del bigote.

–Pues yo prefiero el otro canal porque salen mujeres desnudas –dice Juan.

Y luego, como el que no quiere la cosa, empieza a hablarme del alcalde y de su sobrino, pero otra vez, como ya hizo el otro día, se queda a medias, como si le diese miedo continuar. Puede que algún día encuentre el valor suficiente para acabar de contármelo todo.

De pronto oigo maullar a Roque en el zaguán. Por fin ha vuelto a casa. Me levanto de un salto de la mecedora y corro a darle la bienvenida. Es hermoso ver subir a ese pillastre por la escalera.

–Eres el gato pródigo –le digo

Entra en la sala y se acuesta sobre su cojín. Ni siquiera ha vuelto la cabeza para echarme un vistazo. Así son los gatos de altivos. Juan comprende que me estoy muriendo de ganas de quedarme a solas con Roque y opta por volver a su casa.

–Te esperamos a las dos en punto –se despide.

Apenas estamos solos, Roque me pide que le encienda el fuego.

No puedo negarme y en sólo cinco minutos regresan alegremente las llamas. Le pregunto dónde ha estado estos días y no responde. Es igual, no importa. No conviene precipitarse. Ya llegarán en el momento oportuno las disculpas y las explicaciones. Ya me contará entonces dónde pasó las últimas noches. Como suelen decir en este pueblo, hay más días que longanizas.

2

Le dejo durmiendo, salgo de puntillas y voy a casa de Juan. Debe de faltar ya muy poco para que sean las dos de la tarde. Me acerco con cuidado a la herrería porque le tengo miedo al perro, pero ese cabrón no se deja ver hoy por ninguna parte. Seguramente lo tienen encerrado. Juan me abre la puerta, nos sentamos en el banco del zaguán y nos pasamos un rato hablando mientras su mujer acaba de preparar la mesa.

Cuando empezamos a comer, no veo que María esté tan resfriada como pensaba. Yo creo que lo que le pasa a esa mujer es que no le gusta ir a la iglesia.

–Te veo cada día más delgado –me dice.

Es cierto. Lo noto en la correa. Tendré que hacerle un par de agujeros nuevos. Durante la comida hablamos del hombre del bigote. Tampoco a ellos les gusta ese individuo. No le gusta, sobre todo, a María.

–Tiene la nariz demasiado pequeña –dice.

Las mujeres se fijan mucho en las narices de los hombres. Ellas sabrán por qué lo hacen. Yo no quiero pensar mal. María va a la cocina para traer el café, pero le digo que tengo un poco de prisa y que no puedo quedarme más tiempo de sobremesa. Les digo que el pollo estaba estupendo y vuelvo corriendo a casa. Quiero reencontrarme lo antes posible con Roque, pero cuando llego no lo veo por ninguna parte.

16 de mayo

1

No puedo imaginar dónde se esconde este año la primavera. Estamos a mediados de mayo, pero todavía no he visto una flor. Sobrevivo con el recuerdo de las que se marchitaron hace años.

El alcalde me manda llamar. Voy al Ayuntamiento y le encuentro reunido con el alcalde del pueblo vecino. Los dos parecen estar de buen humor. Se están fumando un puro y tienen el porrón encima de la mesa. Deben de tener algún negocio entre manos. El alcalde quiere saber qué es lo que he decidido respecto al escarabajo pelotero. Su sobrino, en la ciudad, se impacienta.

–Si quiere que le diga la verdad –le contesto, un poco mosca–, todavía no lo tengo decidido.

Me pregunta si me parece más difícil entrevistar a un escarabajo que a un conejo de Angora.

–No se trata de que sea más difícil o más fácil, pero es otra cosa –le contesto.

Salimos del Ayuntamiento, vamos a la taberna y me hacen jurar que cuando tenga lista la entrevista al escarabajo, ellos serán los primeros en leerla. Luego empezamos a hablar de otras cosas que no tienen ya nada que ver con los animales y me dan la razón en todo lo que les digo. No tengo un pelo de tonto y comprendo que lo que quieren es emborracharme, así es que me escapo y les dejo en la taberna con un palmo de narices.

2

Nueve de la noche. Ha sido una tarde larga y aburrida. Ni siquiera me apetece discutir con el hombre del bigote. No me apetece tampoco verme la cara en el pequeño espejo de bolsillo y dialogar conmigo mismo. Prefiero meterme en la cama y, si no puedo dormir, aprenderme de memoria todos los rumores del caserón: los crujidos de la madera vieja, las pisadas cautelosas de Roque –que hace un rato vino a visitarme y se fue al ver que el hogar no estaba encendido–, los lamentos del viento que se filtra por los resquicios de la ventana, los mortecinos trinos del jilguero disecado y, sobre todo, la dulce respiración de la muchacha que esta noche tampoco quiso acostarse a mi lado.

3

Medianoche. Roque vuelve a casa, entra en mi cuarto y salta encima de la cama. Le pregunto si le parece que es posible hablar con un escarabajo y me dice que ni siquiera los hombres como yo podemos llevar las cosas a semejantes extremos. Me explica también que los escarabajos no tienen cuerdas vocales. Yo le digo entonces que lo mismo puede decirse de las arañas y que, sin embargo, Matilde me ha contado ya muchas cosas y me tiene prometido contarme muchas más.

Roque no responde. Se ha quedado dormido. Me incorporo y quiero pasarle la mano por la cabeza, pero no lo encuentro por ningún lado. Entonces pienso que tal vez lo haya estado soñando.

17 de mayo

Cada día, cuando se hace de noche, las ovejas de la colina regresan al pueblo y pasan precisamente por delante de mi casa. El pueblo se llena entonces de ruido de esquilas y de balidos. Cuando llegan al centro de la plaza el pastor se desentiende del rebaño y cada oveja sabe encontrar por sí misma el camino de su corral.

Esta tarde me asomé a la ventana en el preciso instante en el que la oveja taciturna pasaba por delante de mi casa. Levantó la cabeza y al verme se detuvo un instante y baló tristemente.

–Conozco tu secreto –le dije desde arriba–. Sé que en tu esquila no cuelga ningún badajo, pero no pienso decírselo a nadie.

Mañana me sentaré a la puerta de casa y las veré pasar a todas, desde la primera hasta la última. Y cuando pase la oveja negra le diré que he estado pensando en lo que me dijo el otro día y que he llegado a la conclusión de que en este mundo no puede haber ningún río que permita a las ovejas negras convertirse en blancas.

Esta noche –ahora son ya algo más de la una de la madrugada– no se ha presentado Roque. Desde la ventana veo brillar en el cielo una luna pequeña y dura. Reconozco que sin la compañía de ese gato todo me parece más difícil.

Los hombres solitarios necesitamos a los gatos. No estoy seguro, sin embargo, de que los gatos solitarios necesiten a los hombres. Sobre todo cuando brilla la luna.

18 de mayo

El hombrecito del bigote lleva puesta una corbata azul con lunares blancos. Hay hombres que confían excesivamente en su corbata. En estos momentos le están enfocando desde muy cerca y está leyendo un documento en el que se habla de la unidad de la patria. No sé a qué patria se refiere, si a la mía o a la suya, porque estoy seguro de que nuestras dos patrias no coinciden.

Dejo al televisor sin sonido y el hombrecito continúa moviendo los labios en silencio. Le tengo ahí delante, a un par de metros, pero no puedo oírle.

–Creo que usted tampoco me creerá –le digo, aprovechando el silencio–, pero esta mañana, mientras usted estaba durmiendo en el interior de esa caja, yo estuve hablando con la misma serpiente del otro día. Me refiero a la que encontré en la pared del cementerio. «Ahora ya sé para qué quiero que me regalen el rubí», me dijo. «Lo llevaré siempre en la frente, engarzado en una diadema y me servirá para alumbrarme en las tinieblas.» Yo no le dije ni que sí ni que no, y la serpiente me explicó que sólo se quitaría la diadema antes de inclinar la cabeza para beber en alguna charca. «¿Y si te la quita alguien mientras estás bebiendo?», le pregunté entonces. «Una calamidad de ese calibre», respondió, «sería como para considerar seriamente la posibilidad de un suicidio.» Esa respuesta me chocó bastante. «¿También vosotras recurrís al suicidio?», le pregunté. Y la serpiente, enroscándose un poco más, me contestó que sabía de algunas compañeras que lo habían hecho porque estaban cansadas de arrastrarse por todos los caminos del mundo.

Mientras le estoy contando todo eso, el hombre del televisor no me quita la mirada de encima, como si me estuviese escuchando. Cuando le devuelvo la voz, sin embargo, me llevo un chasco porque continúa hablando de la patria. Le dejo que hable todo lo que quiera y enciendo el hogar, por si Roque decide presentarse a última hora. Esta noche me gustaría preguntarle qué opinión le merecen las serpientes que se suicidan.

19 de mayo

1

Ha vuelto a telefonearme al Ayuntamiento el director de la revista. Continúa empeñado en que les envíe la entrevista al escarabajo. Me parece sospechosa tanta insistencia.

–Vaya usted a Egipto –me pide– y entreviste a uno de esos escarabajos peloteros que en otros tiempos fueron considerados sagrados.

Tengo la impresión de que mi interlocutor está disimulando su verdadera voz. Le contesto que Egipto está muy lejos y que para ir no tendría más remedio que coger un avión. Luego, para ganar tiempo y ver si puedo identificar la voz, le pregunto si no sería lo mismo entrevistar a un escarabajo del pueblo.

–Los escarabajos de ese pueblo nunca han sido sagrados –responde mi interlocutor–. Nunca han empujado la bola del sol con las dos patitas delanteras, como hacen los escarabajos egipcios.

Y por fin, mientras le estoy escuchando, caigo en la cuenta de que quien me está hablando no es otro que el sobrino del alcalde. Es ese cretino quien se está haciendo pasar por el director de la revista.

–De acuerdo –me dice luego, al ver que me he quedado callado–. Si lo prefiere, entreviste a cualquier escarabajo local, con tal que sea pelotero. Pregúntele con la mayor delicadeza posible si ellos proceden también de la misma bola de inmundicias que empujan.

–No se preocupe, que se lo sonsacaré sin que se dé cuenta –le tranquilizo.

–No hace falta que le diga que se trata de una pregunta muy delicada –me advierte–. Si no se la formula con delicadeza, el escarabajo puede enfadarse y mandarle al infierno.

–A ciertas personas no les gusta que se les recuerde cuáles son sus verdaderos orígenes –observo.

Me dice luego que puedo enviarle la entrevista por escrito, con tal que la letra sea clara. Parece ser que les costó Dios y ayuda entender la entrevista que le hice al conejo de Angora.

–Lo que más me gusta –le digo, para dar más verosimilitud a mis palabras– es no tener que coger el avión para ir a Egipto. No creo que nunca tenga valor suficiente para subir a un avión. ¡Oh, sí, sí! ¡No puede usted imaginarse el miedo que me da volar! ¿No ha pensado alguna vez que los viajes en avión son una especie de milagro que se repite?

–De todos modos, fíjese que siempre se cae el avión en el que van los otros –observa mi interlocutor.

Y apenas acaba de decir esa tontería corta la comunicación sin despedirse, como si de pronto le hubiese dado un ataque de risa. El alcalde, que no se ha perdido ni una palabra de todo lo que he dicho, me dice que algunas veces hablo como un libro y que tampoco él piensa meterse jamás en un avión.

2

Se trata del cretino del sobrino, ahora lo veo claro. Hago bien desconfiando por principio de todos los individuos que tienen los ojos muy separados de la nariz y que, además, tienen un diente de oro.

No permitiré, pues, que el alcalde y su sobrino –porque es evidente que los dos están confabulados– continúen tomándome el pelo. Esta misma noche encenderé el hogar –venga o no venga Roque–, acercaré la mecedora al fuego y con la ayuda de una bandeja, que me servirá para apoyar el papel, empezaré a escribir la entrevista al escarabajo. Como la que le hice el otro día al lobo, será también una entrevista fingida, pero cuando ese granuja la lea, podrán darse cualquiera de estas cuatro posibilidades:

Posibilidad A: Que suponga que ha conseguido engañarme y se congratule por ello.

Posibilidad B: Que, por el contrario, barrunte que le estoy siguiendo la corriente.

Posibilidad C: Que finja que no se ha enterado de que le estoy siguiendo la corriente y continúe pidiéndome más entrevistas.

Posibilidad D: Que cada uno de nosotros sepa que le está tomando el pelo al otro y que, a pesar de eso, prosigamos el juego indefinidamente.

Vamos a ver, pues, qué es lo que sucede. Lo que no entiendo muy bien es por qué ese cretino y su tío quieren divertirse a mi costa.

Once de la noche. Me cuesta trabajo inventarme la entrevista. La verdad es que no siento mucha simpatía por los escarabajos. Me molestan, sobre todo, sus antenas. Roque, que podría inspirarme con su presencia, continúa sin aparecer. Puede que haya encontrado novia.

20 de mayo

Hace un par de horas puse punto final a la entrevista. Fue difícil, pero hay pocas cosas que se resistan a los hombres tenaces. Juzguen ustedes mismos:

«Encuentro al escarabajo a un par de metros del estercolero. Son las diez de la mañana y el aire, a pesar de lo que pudiera pensarse, huele a rosas y a jazmines recién cortados. El escarabajo me mira a los ojos y desde el primer momento comprende que no soy un reportero vulgar. Intuye, pues, que mis preguntas van a ser inteligentes.

»Le pregunto, para empezar, si los escarabajos peloteros de este pueblo nacen también de la misma bola de inmundicias que empujan a lo largo del camino.

»–No, nada de eso –responde–. Nosotros, como cualquier hijo de vecino, somos consecuencia del amor.

»–¿No es pues usted, como sus hermanos egipcios, un macho que se ha engendrado a sí mismo?

»Hay preguntas que, por muy delicadas que sean,

no pueden hacerse de otra manera. El escarabajo responde que no, y lo hace, además, con cierta vehemencia.

»Anoto su respuesta en mi bloc de notas de papel reciclado y decido no preguntarle más cosas. No quiero que vaya por ahí diciendo a todo el mundo que soy un pesado.

»Le doy las gracias y le dejo a solas con sus inmundicias...»

Reconozco que la entrevista me ha salido un poco corta, pero no se me ha ocurrido nada más. Lo único que importa es que cuele y que el sobrino del alcalde la tome por auténtica. Me hubiese gustado leérsela a Roque antes de llevársela al alcalde, pero ese granuja continúa sin dejarse ver.

21 de mayo

1

Esta mañana, al sacar la cabeza por la ventana, me encuentro con la vecina, que estaba asomada a la suya. Ésas son cosas que suelen ocurrir cuando cada vecino tiene su propia ventana, cuando esas ventanas están una frente a la otra y, sobre todo, cuando deciden asomarse a la misma hora. En lugar de darle los buenos días, que es lo que suele hacerse en estos casos, le pregunto si durante estos últimos días ha visto a Roque.

–¿Quién es Roque? –me pregunta.

No me gusta la gente que responde a una pregunta con otra pregunta. Podría estrangularles y quedarme luego tan tranquilo. Le explico que Roque es el gato del que ya le hablé el otro día, y le digo también que lleva bastantes días sin dejarse ver.

La vieja se señala la sien con el dedo y responde que me falta la regadura de mayo que en este pueblo es, por lo visto, la más importante del año. Luego se arrepiente de lo que ha hecho y me dice que no haga mucho caso a Roque porque todos los gatos son unos desagradecidos.

No le perdono, sin embargo, su ademán con el dedo, dándome a entender que estoy chiflado, y al fijarme en sus dos dientes que se asoman por encima del labio, le pregunto como el que no quiere si es capaz de distinguir la carne de conejo de la carne de gato.

–Hijo mío –responde–, aquí donde me ves, soy vegetariana. Nunca he probado la carne.

Me da la impresión de que está mintiendo. Me resulta muy difícil admitir que en este pueblo agreste y montaraz pueda vivir un vegetariano. Ésa es, pues, otra posibilidad que no puede descartarse: la de que alguien del vecindario se haya comido a Roque con la excusa de cualquier infame paella.

2

–¿A usted qué le parece? –le pregunto esta noche al hombrecito del bigote, apenas aparece en la pantalla del televisor–. ¿Usted cree que esa vieja tiene algo que ver con la desaparición de Roque?

El hombre se va por las ramas y empieza a hablarme de otras cosas que no tienen nada que ver con Roque. Su bigote, hoy como ayer, continúa ocultándole el labio superior. Hacer eso, en cierto modo, significa tanto como ocultar sus verdaderos pensamientos.

Lo diré claramente, aunque algunos puedan tildarme luego de maniático: ese bigote es como una maldición. Ya sé que puedo cambiar de canal. Tendría suficiente con apretar un botón del mando a distancia. Creo que a estas horas hay unas chicas que bailan en cueros en el canal diez y que lo hacen, además, dentro de una jaula, pero prefiero soportar el sacrificio que supone tener ese bigote en mi propia casa, a un par de metros escasos de donde estoy sentado. En ese sentido, por lo tanto, podría considerarme una especie de masoquista hidráulico contemplativo.

«¿Qué es, en realidad, lo que buscan los masoquistas?», me he preguntado alguna vez. «¿El placer en la autoflagelación o en los azotes del prójimo? ¿Se trata sólo de eso? ¿Y si fuesen más allá? ¿Y si lo que buscasen realmente fuese la perfección en el dolor?»

Lo he dicho en más de una ocasión y no me importa repetirlo otra vez, aunque algunos me llamen anarquista: de nada sirve afeitar esa clase de bigotes porque, antes o después, vuelven a crecer. Esos bigotes hunden sus raíces en lo más profundo de los corazones.

22 de mayo

1

Esta lloviznando, pero no resisto la tentación de salir de casa para ir al mismo lugar donde el otro día estuve hablando con el sapo. Llevo una manta por encima de los hombros, pero reconozco que lo que me calienta de verdad es el vino. El sapo viene a saludarme y otra vez se planta a un palmo escaso de mis botas, pero no veo por ninguna parte a la pareja de cuervos.

«Lo más probable», pienso, «es que a esos dos fulanos no les gustase esta primavera y se hayan ido en busca de otra.»

Ésa es una de las grandes ventajas de tener alas. No todo el mundo puede escaparse volando hacia los paisajes que le resulten más gratos.

–Amigo mío –le digo al sapo–, no sé si vale la pena que te haga preguntas y no sé tampoco si vale la pena que tú las respondas. La gente de este pueblo tampoco me cree y algunos se permiten el lujo de tomarme el pelo.

El sapo va a decirme algo, pero en ese momento empieza a llover con más fuerza y no tengo más remedio que echarme el saco por encima de la cabeza. El sapo suelta entonces una risita que suena como un quejido.

–A lo mejor tampoco es verdad que ahora está lloviendo –susurra.

Le pido que me cuente alguna historia de brujas

y aquelarres y dice que no le apetece. Ha pasado demasiado tiempo y no se acuerda de lo que pasó entonces. Luego, para justificar su pesadumbre, me confiesa que también él se considera un sapo bastante raro porque nació sin veneno. Lo que quiere decir, seguramente, es que nació sin esa glándula venenosa que distingue a los de su especie. Soy una criatura deforme y, además, inofensiva, se lamenta.

–Pues mala suerte –le contesto–. Yo también nací sin otras cosas que tienen los demás hombres y que les permite ir capeando sin muchos problemas todos los temporales de la vida.

El sapo se me queda mirando con sus ojitos rojos y me pregunta por qué no le aplasto.

–Ya te lo dije el otro día –le contesto–. No será mi bota la que te aplaste. Que sean otros los que carguen con esa responsabilidad. Sufre tu vida del mismo modo que yo sufro la mía.

2

Vuelvo a casa, enciendo el fuego y pongo a hervir las últimas alubias, pero viene a visitarme Juan y me trae otra bolsa de por lo menos dos kilos. Es preciso, pues, creer una vez más en la Providencia.

Vuelve a preguntarme qué tal funciona el televisor. Creo que es la tercera vez que lo hace. Le contesto que cada vez funciona mejor y le digo también que me ayuda a soportar la soledad. Eso es, seguramente, lo que estaba esperando que le dijese. Continuamos hablando de otras cosas, pero tampoco esta noche quiere descubrirme el tejemaneje que el alcalde y su sobrino se llevan entre manos. Creo que les tiene un poco de miedo. Por lo menos, no quiere buscarse complicaciones. Cuando dan las diez en el campanario se levanta y se va corriendo porque su mujer le estás esperando para cenar.

Creo que ese buen hombre tiene un poco de miedo a todo el mundo.

3

Es cerca de la una de la madrugada. Esta noche me he condenado a no ver al hombre del bigote. Cuando se fue Juan, puse el canal diez y me he pasado más de una hora viendo cómo una docena de chicas enseñaban el ombligo y movían el trasero. No creo que, fuera de la televisión, puedan encontrarse mujeres que muevan las piernas y el trasero con tanta rapidez.

Esas mujeres, sin embargo, me pusieron de mal humor y de pronto oí la risa diabólica de Matilde en el desván, burlándose seguramente de mi soledad.

No me lo pensé dos veces. Subí al desván con la caja de cerillas y le prendí fuego a la telaraña con Matilde incluida. En un instante la envié a reunirse con todos sus amantes muertos.

23 de mayo

Nada especial que reseñar. El viento, la lluvia y el frío han dejado de ser noticia.

–¿Cómo es posible –le he preguntado esta mañana a la vieja de los dos dientes– que haga todavía tanto frío? ¿Cómo es posible, señora Manuela, que este año tengamos una primavera tan mala?

Esta vez la vieja no dijo ni mu. Lo más probable es que no se llame Manuela. Apenas me vio aparecer en la ventana se metió dentro de la casa y cerró la suya.

Son ahora las doce de la noche. Nunca me pasan inadvertidas esas solemnes campanadas que señalan el paso de un día al otro. Mientras están sonando me siento como si estuviese entre el ayer y el mañana, es decir, como si no estuviese en ninguna parte.

Se esfuma el eco de la última campanada y oigo los tristes maullidos de Roque al otro lado de la ventana. Seguro que se está pelando de frío y que daría cualquier cosa por acostarse junto al fuego. Esta noche, sin embargo, estoy de mal humor y no pienso dejarle entrar.

Que comprenda ese gato presuntuoso que, aunque no me resulte fácil, soy capaz de prescindir de su compañía.

24 de mayo

1

Diez de la mañana. No he podido pegar ojo en toda la noche. Roque estuvo al otro lado de la ventana maullando hasta que se hizo de día. Hubiera podido entrar en la casa por el agujero de la gatera, como ha hecho siempre, pero prefirió quedarse en el tejado y darme la lata.

2

Mediodía. Juan ha venido a verme con un par de botellas de ron que guardaba en su casa desde hace años. Fue el regalo de bodas de un primo suyo que estuvo en Cuba. Me dice que ni a él ni a su mujer les gusta el ron, pero que a mí me irá muy bien para calentarme un poco por dentro. Mucho mejor, desde luego, que el vino.

–¿Por qué has dicho que no te gustaba el ron? –le pregunto, mientras se bebe de golpe todo el que acabo de servirle en un vaso.

No sabe qué responder. Hay gente a la que lo único que le hace falta para echar un trago es tener a su lado un buen compañero. Nos acabamos la primera botella –he sido yo, desde luego, quien ha bebido más– y salimos a la calle cogidos del brazo. La vecina nos está espiando tras los visillos de su ventana.

–No vaya a pensar usted que estoy borracho –le grito, formándome bocina con las dos manos.

3

Esta tarde ha vuelto el barbero del pueblo vecino porque el último domingo se dejó a mucha gente sin cortar el pelo. Otra vez ha instalado su tenderete en el zaguán del Ayuntamiento. En este momento no hay nadie esperando. Me siento en la silla y le pido que me afeite como el primer día. El barbero me reconoce. Sabe que lo que quiero es otra cosa, pero que no me atrevo a pedírsela.

–Tienes una barba difícil –me dice.

Ya es algo que se haya decidido a tutearme. Me lo quedo mirando fijamente a los ojos, como preguntándole si hoy va a ser por fin el gran día de mi ejecución. Noto que le tiembla el pulso y mientras me pasa la navaja por la mejilla le pregunto si sabe dónde tengo la yugular. El hombrecito no puede reprimir una risita nerviosa. Seguro que está deseando cortarme el cuello y puede que algún día reúna el valor suficiente para hacerlo.

4

La verdad es que no tengo muy buena cara. De nada sirve que esta mañana haya ido al barbero. Este espejito de bolsillo no me engaña. Te estás quedando en los huesos, me dice. Y yo le contesto que a partir de mañana comeré un poco más.

–Vas a ver qué pronto me engordo –le digo.

Es bueno llevar siempre un espejo en el bolsillo porque siempre te dicen alguna cosa, o te dan algún consejo. Esta noche, por ejemplo, me pide que haga una lista de los animales imposibles que me gustaría entrevistar.

–Ante todo –le contesto– me gustaría entrevistar al Unicornio. Luego entrevistaría al Ave Fénix, que fue como una especie de pavo real que renacía de sus propias cenizas. Y después me encantaría charlar un rato con el Gallitigre, que fue engendrado por un tigre y una gallina.

–Eso no es posible –me digo desde el espejo.

No vale la pena que me explique a mí mismo algo que conozco muy bien. El Gallitigre nació para demostrar que en este mundo todos podemos entendernos por muchas que sean las diferencias que nos separan. Me guardo pues el espejo en el bolsillo y me quedo otra vez solo.

Esta noche ni siquiera he oído maullar a Roque.

25 de mayo

1

El juego continúa. El supuesto director de la revista me ha escrito una carta para felicitarme por la entrevista que le hice el otro día al escarabajo. La carta me la trajo el alcalde en persona. Se abren, pues, varios interrogantes:

Primero: ¿Creen realmente esos imbéciles –me refiero al alcalde y su sobrino– que escribí la entrevista al escarabajo en serio?

116

Segundo: ¿Sospechan que les he descubierto el juego y tratan de reconducirme?

Tercero: ¿Son sinceros cuando dicen que les gusta la entrevista, a pesar de que ahora saben que soy yo quien trata de tomarles el pelo?

Cuarto: ¿No les gusta y dicen que les gusta para encelarme un poco más y pedirme luego otras entrevistas aún más descabelladas?

Podría plantear más interrogantes, pero por ahora tengo suficientes con éstos. Lo que sí es seguro es que pienso seguirles el juego y que dentro de un par o tres de días les enviaré otra entrevista imposible.

2

Esta noche no apareció en el televisor el hombre del bigote. Cuando llegó la hora de su programa se presentó en su lugar un calvo anodino que se limitó a leer sin la menor gracia los papeles que tenía encima de la mesa. Ni una sola vez se atrevió a levantar la mirada de lo que estaba leyendo.

Ese hombre no me interesa. Le falta descaro y agresividad. No me provoca.

26 de mayo

1

Hace un rato se presentó inesperadamente Roque. Yo estaba todavía durmiendo. Se coló en mi

117

cuarto, saltó encima de la cómoda y desde allí debió de pasarse un buen rato viéndome dormir. Eso, de todos modos, son suposiciones mías. Lo cierto es que cuando abrí los ojos me encontré con los suyos y que no hubo escenas. Ni yo le dije nada, ni él me dijo nada. No le pedí explicaciones, ni él quiso dármelas.

No hubo, pues, recriminaciones mutuas. Ha sido un reencuentro de lo más simple.

2

Roque y yo hemos salido al huerto. Los dos nos hemos puesto al socaire de la pared, tomando un poco el sol.

–¿Por qué crees que el alcalde y su sobrino quieren tomarme el pelo? –le pregunto.

Roque no responde. Piensa en otras cosas. Está tumbado a mis pies, pero tiene los ojos cerrados. Tal vez no quiere responderme porque le parece que mis preguntas no merecen respuesta. Luego, cuando el viento se calma y el sol empieza a calentar un poco, se despereza y empieza a hablarme de un palacio de granito rojo que alguien muy importante construyó hace años muy lejos de este pueblo.

–Aquel templo estaba dedicado a la reina de los gatos –me explica.

–Cuidado –le recuerdo, viendo por dónde iban a llegar los tiros–. Ya sabes que no puedes hablarme de Cleopatra.

Y apenas acabo de hacerle esa advertencia llega una nube y oculta el sol. Roque levanta la mirada al

118

cielo, se lamenta de lo poco que dura la dicha en casa de los pobres y se marcha. Yo continúo sentado junto al cerezo muerto, esperando que se vaya la nube y me devuelva el sol.

27 de mayo

1

Hoy han venido a verme los mismos chicos que el otro día me trajeron la lechuza herida. Me piden que le diga cuatro cosas a la paloma que llevan atada por una pata.

–Cuidado con esa guarra –les advierto, sin andarme con rodeos.

Los niños se quedan con la boca abierta y para que me entiendan tengo que explicarles que las palomas no pertenecen al Bestiario de Cristo, como suponen algunos, sino al de Satanás.

–Ya que estamos aquí, pregúntele alguna cosa –insistió el chico que llevaba la voz cantante–. Que nos cuente, por lo menos, adónde lleva los mensajes secretos.

–Lo siento, pero no tengo ganas de hablar con esa marrana –le contesté–. No puedo creer ya en el pobre supuesto candor de las palomas. No volverán a engañarme nunca más.

Hice ademán de subir a la cocina y dejar a los chicos en el zaguán, pero de pronto me di cuenta de que uno de los niños era bizco. Entonces cambié de idea y continué con ellos en el zaguán, porque los niños bizcos me gustan mucho. Me dije también que, al fin y al cabo, los niños no tienen la culpa de lo golfas que pueden ser las palomas.

–Pregúntele adónde llevan los mensajes secretos –insistió el niño bizco–. Que nos diga cómo se las arreglan para encontrar el camino para volver a casa.

–Las palomas tienen unos cristales de magnetita en la cabeza –les expliqué–. Eso es todo. El cuervo no los tenía y se perdió cuando lo soltó Noé. Por eso no pudo regresar al Arca.

Cuado acabé de darles esa explicación, la paloma me miró a los ojos, como si no estuviese de acuerdo, pero al final no se atrevió a abrir el pico. Puede que tuviese su propia interpretación de la Biblia.

–Hay gente que nace con suerte –le dije, devolviéndole la mirada. Y luego, volviéndome hacia los chicos, les expliqué que tenía mis motivos para suponer que todas las palomas son unas rijosas.

–Hubo un tiempo –les dije– en el que los chicos y las chicas un poco mayores que vosotros se intercambiaban palomas como prueba de amor y pensando en las mayores cochinadas.

–Pues nosotros nos las comemos –exclamó otro de los niños.

Y al oír eso el niño bizco empezó a reírse como sólo pueden reírse los niños bizcos que nunca se han mirado en un espejo. La paloma, mientras tan-

120

to, agitó débilmente las alas, pensando tal vez que sus días estaban contados.

2

Roque me ha confesado esta noche que a lo largo de su vida se ha zampado ya tres o cuatro palomas. Luego hicimos una apuesta, a ver quién se quedaba antes dormido delante del televisor. Roque se quedó frito en menos de diez minutos pero yo continué despierto, esperando a ver si volvía el tío del bigote, pero no salió y tuve que conformarme con el calvo.

28 de mayo

1

Le he dicho al alcalde que dentro de unos días entrevistaré a uno de los dos cerdos de Juan y que tengo ya la autorización de su mujer.

El alcalde me ha contestado que muy bien y que ya le enviará luego la entrevista a su sobrino por correo urgente. Luego me cogió por el brazo y nos fuimos a la taberna. Cuando estuvimos delante del mostrador con los demás hombres me preguntó en voz alta por qué había elegido precisamente a un cerdo.

Ésa era exactamente la pregunta que estaba esperando y le di la respuesta que tenía preparada.

–Será la primera entrevista de la historia que se hace a un cerdo de cuatro patas –le contesté, también en voz muy alta.

Y todos los que estaban en la taberna se echaron a reír. El alcalde, sin embargo, se quedó como estaba y me miró fijamente al fondo de los ojos.

«Lo que quieres ahora», pensé, apretando los puños, «es saber qué es realmente lo que estoy pensando, pero hoy no te dejaré que lo descubras.»

–¿Por qué precisamente un cerdo? –volvió a preguntarme, cuando los demás hombres dejaron de reírse.

Y yo le dije entonces que, habida cuenta que ya había entrevistado a un lobo, lo más lógico era que entrevistase también a un cerdo.

–La verdad es que eres un tío genial –exclamó entonces, llenándome otra vez la copa de anís.

2

Al salir de la taberna fui a ver a Juan con la intención de explicárselo todo, pero no le encontré en casa. Le adelanté a María que a lo mejor un día de éstos me presentaba en su casa con el alcalde para montar un número con uno de sus cerdos.

–Será una entrevista tan fingida como las que hice el otro día al lobo y al escarabajo pelotero –le dije.

Cuando volví a casa encontré a Roque esperándome en el zaguán.

–¿Por que llamas fingidas a las entrevistas que le

122

hiciste al lobo y al escarabajo pelotero? –me pregunta–. ¿Te parece que las otras no lo son?

–¿A ti qué te parece? –le pregunto a mi vez, sin comprometerme con una respuesta.

Es decir, he hecho lo que tanto me molesta en los demás: le he respondido con otra pregunta.

29 de mayo

1

La verdad es que ni siquiera necesito tener al cerdo a mi lado para escribir la entrevista más divertida del mundo. Puedo cerrar los ojos, imaginar que tengo al cerdo sentado al otro lado de la mesa y hacerle luego las preguntas que me dé la gana. Lo único que me importa es que cuando lean la entrevista, el alcalde y su sobrino se desternillen de risa.

Luego seré yo quien se ría todavía más y quien les persiga por todo el pueblo señalándoles con el dedo.

Son ahora la diez de la mañana. Una buena hora para empezar a trabajar. Dentro de un par de horas tendré la entrevista acabada. Con un vaso de ron me siento capaz de todo.

2

Ya está la entrevista lista. Sólo he necesitado una hora para inventármela. Se la leo en voz alta al hombre del espejo y opina que resulta bastante divertida.

Nadie puede negar, por lo menos, que mis preguntas tuvieron miga. Para empezar le pregunté si se consideraba un cerdo con todas las de la ley y me contestó que desde que nació había sido un cerdo y que continuaba siéndolo todavía hoy.

Le pregunté luego si se consideraba sabroso y respondió que no lo sabía porque nunca se había probado a sí mismo.

–¿Y cómo se definiría a sí mismo, si se diese ese supuesto? –le pregunté entonces–. ¿Cómo definiría usted el hecho de que algunos cerdos, hartos de la pastura tradicional, se decidiesen alguna vez a alimentarse con sus propios jamones?

Mientras estaba escribiendo todas esas preguntas y respuestas, me pareció ver al cerdo sentado al otro lado de la mesa, con sus ojos azules y sus pestañas doradas.

«El poder del ron es infinito», pensé. Y me pareció que en aquel preciso instante el cerdo levantaba la cabeza y me respondía con un largo gruñido que ni siquiera el cerdo más contorsionista del mundo era capaz de comerse a sí mismo.

–Imagínese por un momento que es capaz de hacerlo –insistí–. ¿Qué nombre considera usted que definiría mejor esa práctica? ¿Autocanibalismo? ¿Autocomplacencia? ¿Tal vez autoservicio?

Ni siquiera a mi otro yo, a pesar de estar completamente identificado con su papel de cerdo, le resultó fácil responder a aquellas preguntas, así que le pedí ayuda al hombre del espejito.

–¿Cómo lo definirías tú? –le pregunté.

–A mí me parece que sería como una especie de masturbación gastronómica –me contestó.

Y ésa es la respuesta que puse en los labios del cerdo, masturbación gastronómica. Luego le pregunté otras cosas y me di las respuestas más divertidas que se me ocurrieron. Por ejemplo, cuando le pregunté al cerdo imaginario por los tres cerditos y se negó a darme su opinión sobre la crueldad del lobo feroz, le volví a preguntar si le parecía que los lobos merecían tanta consideración. Fue, pues, una repregunta muy difícil y ni siquiera mis otros yoes –es decir, mi yo cerdo y mi yo metido en el espejo de bolsillo– supieron encontrar la respuesta adecuada, así que he terminado la entrevista con un gran interrogante.

Mañana pasaré otra vez la entrevista a limpio y se la llevaré al alcalde. Vamos a ver qué piensa luego su sobrino.

29 de mayo

1

Nueve de la mañana. Hoy hace más frío que nunca. Hace un rato le llevé la entrevista al alcalde, pero no estaba en el Ayuntamiento. Quiero entregársela personalmente, así que volveré más tarde.

Me he quedado sin ron. Tengo que confesar que me gusta más que el vino.

Diez de la mañana. Acabo de entregarle la entrevista al alcalde. Me ha prometido que hoy mismo se la mandará a su sobrino por correo urgente y que antes de una semana tendré una respuesta.

Vuelvo a casa y como ya no me queda ron, no tengo más remedio que recurrir al tinto de Juan. Quien no se conforma es porque no quiere.

–Cada día me pareces un tipo más raro –dice Roque, que hoy ha venido a visitarme a primera hora de la mañana–. ¿Por qué no quieres encender el fuego?

–No es necesario –le contesto–. Estamos en primavera y por fin han florecido los almendros.

Le echo un vaso de vino en un plato sopero, se lo bebe a lengüetazos y en menos de lo que canta un gallo lo tengo borracho como una cuba. A pesar de sus ínfulas de grandeza, ese infeliz no necesita mucho para enzorrarse. Parece que va a quedarse dormido, pero cuando menos lo espero abre los ojos y otra vez empieza a recordar las glorias de su pueblo y el templo de granito rojo.

–¿Qué es lo que quedará hoy de aquella maravilla? –suspira.

Y yo, en lugar de consolarle, me subo encima de una silla y empiezo a recitar mi último poema:

Esta carta, que es feliz,
pues va a buscaros,
cuenta os dará de la memoria mía...

Roque me interrumpe y dice que no es la primera vez que oye esos versos. Me dice también que tiene la impresión de que están escritos desde hace muchos años.

–Seguramente tienes razón –le digo–. Pura coincidencia. De vez en cuando pasan estas cosas.

–Me parece que los dos estamos como cubas –ronronea Roque.

Se despide con un par de maullidos y se va a su casa dando tumbos, así es que otra vez vuelvo a quedarme solo. Pongo en marcha el televisor y me encuentro inesperadamente con el hombre del bigote. Estoy seguro de que ha vuelto porque sabía que le estaba esperando, aunque sólo fuese para criticarle. Le encuentro algo desmejorado. Incluso su bigote parece haberse marchitado un poco. Para compensar su mal aspecto lleva puesta una corbata roja y una chaqueta de terciopelo verde.

–No sé lo que le habrán dicho los médicos –le digo, con la intención de fastidiarle un poco–, pero tiene usted muy mala cara. Ni siquiera le sirve haberse vestido de payaso. Me parece que está usted gravemente enfermo.

30 de mayo

1

Lo primero que hago cada día cuando salgo a la calle es levantar la mirada al cielo y ver qué cara tiene. Eso es, pues, lo que he hecho también esta mañana: miré hacia arriba y no vi ni una sola nube.

–¡Perfecto! –exclamé, frotándome las manos.

Pero enseguida tuve que reconocer que estaba equivocado y que, en realidad, estaba a punto de llover. He confundido el gris con el azul, me dije. Y al bajar la mirada al suelo me encontré con el sapo, que estaba esperándome delante de casa.

–Amigo mío –le dije–, no podía sospechar que los sapos fueseis también capaces de seguir el rastro de los hombres.

Me contestó que llevaba siguiendo el mío desde hacía ya algunos días y que no le había resultado fácil dar con mi casa.

No le pregunté por qué razón se había tomado tantas molestias. Cada cual tiene sus razones y, dentro de lo posible, hay que respetarlas todas.

–Muy bien, amiguito –le dije, recogiéndolo del suelo con el pulgar y el índice–. Si es eso lo que quieres, podrás quedarte conmigo. Podrás vivir en el huerto que tengo detrás de la casa. Un huerto en ruinas, pero algo es algo.

La vieja de los dos dientes me oyó hablar en la calle y no tardó en asomar la cabeza por la ventana.

–No entiendo cómo puede tocar un bicho tan asqueroso –me dijo, estirando el cuello.

–Señora mía –le contesté, vocalizando con mucha claridad y dirigiéndome a ella como si fuese una gran dama–. Estoy seguro de que usted ha tocado cosas más asquerosas que este pobre sapo. Sobre

128

todo hace muchos años, cuando usted era todavía joven.

Yo creo que lo que peor le supo fue que la llamase señora mía. Alargó un poco más el cuello y los dos dientes le crecieron también un poco más.

–Llevaba el sapo metido en el bolsillo –mintió.

–Falso –le contesté–. He encontrado a este hermano tiritando en el suelo, muerto de frío.

Y luego le dije también que yo era muy libre de hacer con los sapos lo que me diese la gana. La vieja fue a replicar pero en esta ocasión fui yo quien la dejó con la palabra en la boca. Me metí en casa con el sapo y lo llevé directamente al huerto.

–A pesar de vivir en la casa de un hombre –le dije, mientras lo depositaba amorosamente debajo de una col–, aquí continuarás siendo razonablemente libre.

Luego subí a mi cuarto y a través de los visillos de la ventana estuve un rato espiando a la vieja, que seguía asomada a la suya. Seguramente estaba esperando que pasase alguien por la calle para contarle que yo me entendía también con los sapos.

Me importa un comino, de todos modos, lo que piense esa bruja y lo que pueda contar a la gente. Lo único cierto es que un hombre como yo no podía desaprovechar la oportunidad de compartir este caserón con uno de esos infelices hijos del miedo, de la soledad y de la melancolía.

Ese sapo y yo, al fin y al cabo, somos hermanos en la abstinencia y en el desamor.

2

Hace un momento puse a hervir un huevo y ya lo tengo a punto de caramelo. Hay que ver lo poco que se necesita para conseguir que algunas cosas pierdan sus características fundamentales, que las distinguían de todas las demás. Basta mantener un huevo unos cuantos minutos en agua hirviendo para que esa maravilla de la Creación –aun conservando en lo externo su apariencia de siempre– haya perdido completamente su viscosidad interna y su capacidad para generar nuevas vidas.

–¿Te parece de verdad que un simple huevo de gallina puede ser tan maravilloso? –me pregunta el hombrecito del espejo, desde el otro lado del cristal.

–Nadie lo duda –le contesto, acercándome el espejito a un palmo de la nariz, para que pueda oírme mejor–. Dentro de cada huevo, hay un pollo en potencia. ¿Te parece poca maravilla? Para que ese pollo se convierta en realidad sólo necesita un poco de calor. Por su sola disposición los huevos se perfeccionan a sí mismos y luego nacen nuevos pollos. Por eso dicen algunos que los huevos son de complexión hermafrodita.

–Pues me parece una pena que tú no seas también de complexión hermafrodita y puedas bastarte a ti mismo –me dice el hombrecito del espejo.

Es mejor que vuelva a guardarme el espejo en el bolsillo. Hay veces en las que ni siquiera conviene hablar con uno mismo.

3

Las ocho de la noche. Enciendo el televisor, me siento en la mecedora y empiezo a comerme el huevo delante del hombrecito del bigote. Lleva puesta la misma corbata del otro día, pero no es eso lo que más me molesta. Lo peor continúa siendo el bigote. Cada vez me parece más intolerable esa curiosa aglomeración de pelitos que tiene debajo de la nariz.

Ramón, un amigo del hospital, se hacía muchas preguntas a propósito de los bigotes. Los libros de historia, me decía muchas veces, nos cuentan quién descubrió América o quién fue el primer hombre que dio la vuelta al mundo. No dicen nada, sin embargo, de quién fue el primer hombre que tuvo la idea de afeitarse todos los pelos de la cara y dejarse únicamente los del bigote.

–Dejarse crecer el bigote y afeitarse todo lo demás me parece una peligrosa forma de corregir la naturaleza –me dijo la víspera de ahogarse en la bañera aprovechando que el enfermero se había quedado dormido.

El pobre Ramón tenía toda la razón del mundo. Los historiadores deberían darnos alguna noticia al respecto. Tal vez quedarían entonces al descubierto los motivos de muchos crímenes y conspiraciones que hasta hoy han permanecido secretas.

4

En estos momentos están dando las doce de la noche. Roque no se presenta. No puedo esperarle más, ni siquiera con la ayuda de la televisión.

31 de mayo

Esta mañana me he despertado otra vez presentando armas. Mi cuerpo, por lo menos, funciona y no me puedo considerar culpable de lo que mi cuerpo decide por su propia cuenta y riesgo. Al fin y al cabo, estamos en plena primavera.

Es una pena que no sepa cómo castigar tanta exuberancia. No quiero consolarme a mí mismo y arriesgarme a que se me caigan los dientes, como nos decía aquel cura perverso hace cinco o seis mil años.

«La culpa la tiene, en efecto, esta dichosa primavera», suspiro, abriendo de par en par la ventana del cuarto.

Levanto la mirada a las nubes y las agujereo con la mirada hasta que encuentro el azul que está por detrás de todas las cosas. Luego voy a buscar la escoba y con el mango me pongo a hurgar en el nido de barro que hay en el alero.

El nido está vacío. La golondrina que vivía ahí dentro todavía no ha vuelto. La vieja de los dos dientes está detrás de su ventana, escondida tras los visillos.

32 de mayo

1

Esta mañana ha venido Roque y estuvimos hablando un poco de cerezas, que son los frutos típicos

132

de esta época del año. Le dije que las cerezas son el símbolo de la belleza y que por eso Flora, diosa de los jardines y de las flores, las llevaba colgando de las orejas, a modo de pendientes. Luego le pregunté cuál era su fruta preferida y no me lo quiso decir.

Tengo la impresión de que ese gato no es el mismo de los primeros días. Me parece que cada día que pasa es menos locuaz y más taciturno. Le acompañé hasta la puerta y antes de marcharse le pregunté si pensaba venir a verme esta noche, pero no me dijo ni que sí ni que no.

2

Roque se ha presentado mientras estaban dando las once de la noche y ya empezaba a perder la esperanza de verle. Los dos estamos ahora sentados delante del televisor, con la bota de vino al alcance de la mano. Roque tiene su ración el vino en el plato sopero. Cuando se la termine le echaré un poco más.

La pregunta que me hago en estos momentos es la siguiente: ¿sabe igual el vino que cae con fuerza desde la bota a la boca que el vino que se lame en un plato?

No lo sabré nunca, porque lo último que haría en esta vida es arrodillarme para beber en un plato. A lo largo de mi vida he conocido otras formas de humillaciones, es cierto, pero todo tiene un límite, sobre todo ahora que he recuperado mi independencia.

133

Se lo cuento a Roque y me da la razón. Tampoco esta noche tiene muchas ganas de hablar. Le pido que me cuente alguna cosa de Cleopatra –no me importa correr ese riesgo– y no suelta prenda.

–¿Qué te parece ese tío? –le pregunto, señalándole el hombre del bigote, que acaba de aparecer en el televisor–. ¿Piensas tú también que es un horterilla de mucho cuidado? Aparte del bigote, ¿no te parece ofensiva su forma de pronunciar algunas palabras? ¿Crees que un hombre de bien puede comerse las eses de ese modo? ¿No crees que las palabras necesitan todas las eses que lleven dentro? ¿No te parece que cuando las eses no se pronuncian las palabras salen de los labios demasiado duras, como si les faltase lubrificante?

No responde. Esta noche ni siquiera hace caso al vino que tiene en el plato. Cuando se apaga el fuego de la chimenea se levanta, se despereza arqueando el lomo y se marcha sin despedirse.

–Que te zurzan con hilo verde –le grito, mientras baja por la escalera.

Apago el televisor y empiezo a escuchar los trinos del jilguero disecado que guardo en el desván.

–Canta, canta, amigo mío –lo animo–. Canta todo lo que quieras porque sólo yo puedo oírte.

Es inútil encerrar jilgueros disecados en una jaula porque incluso estando muertos continúan cantando en la conciencia de sus asesinos. En este caso, sin embargo, no he sido yo quien mató a ese pajarillo. Tampoco fui yo quien lo disecó y lo encerró luego en una jaula. Lo encontré muerto en el desván el primer día que entré en esta casa.

3

Una advertencia: que nadie piense que he perdido un tornillo cuando lea la fecha que he puesto al día de hoy. Lo hice a propósito. Ya sé que no son posibles los treinta y dos de mayo, porque este mes, desde que lo inventaron, sólo tiene treinta y un días.

Tengo, sin embargo, buenas razones para recurrir a ese pequeño truco, que, por otra parte, me parece bastante inocuo: necesito creer que continuamos metidos en el mes de mayo porque me asusta entrar en el mes de junio y ver cómo van pasando los días sin que la primavera se decida a regresar.

Se trata de una forma de dar a esa ingrata un poco más de tiempo.

4

Las cuatro de la madrugada. No puedo pegar ojo. Salto de la cama y conecto el televisor, pero a estas horas la pantalla es como una ventana abierta al vacío. Se acabó la programación. Se fueron todos a dormir, aunque sólo sea para demostrarme que ellos pueden hacerlo y yo no.

Quiero que conste en este Diario mi más enérgica protesta, aunque sé que no va a servirme de mucho.

33 de mayo

1

Me he pasado casi todo el día durmiendo y soñando, pero esta tarde, al despertarme, no he podido recordar ni uno solo de mis sueños. Esos sueños, sin embargo, continúan dentro de mí y me pesan en el alma. Es como cuando uno come demasiado y siente luego el estómago pesado.

¿Qué tienen que hacer los hombres para liberarse de sus propios sueños?

2

Las cinco de la tarde. Estoy sentado en una pequeña silla de paja que he puesto justo delante de la puerta de mi casa. Quiero ver de cerca el regreso de las ovejas.

Al cabo de cinco minutos oigo a lo lejos el rumor de las esquilas. El rebaño, como cada día, se acerca lentamente por el camino del molino. Me froto las manos. La vieja de los dos dientes acecha en las alturas.

Ya están aquí las ovejas. El pastor va delante del rebaño y lleva el bastón sobre el hombro, como si fuese un fusil. Ni siquiera vuelve la mirada cuando pasa a mi altura. Puede que no me haya visto. Veo pasar también a la oveja taciturna y a la oveja negra, pero tampoco me dicen nada.

«Todo el mundo anda hoy bastante desanimado», pienso.

Y cuando me levanto de la silla para meterme en el zaguán descubro de pronto una preciosa oveja de lana inmaculada. Es la primera vez que la veo. El pastor está lejos. Ha doblado la esquina y debe de faltarle poco para llegar a la plaza, así que no me lo pienso dos veces: salto sobre la oveja, le rodeo el cuello con los dos brazos y la retengo a mi lado.

Le pregunto cuál es su nombre y responde que desde que nació todo el mundo la llama Serafina. Le explico que Serafina es un nombre de origen hebreo y que se refiere a una serpiente de bronce que Moisés utilizó como amuleto. La pobre no sabe quién es Moisés y se lo tengo que contar, aunque sin entrar en muchos detalles. Me pregunta cómo sé tantas cosas y le contesto que me he pasado la vida leyendo.

–Tengo más de mil libros y me los he leído todos –le digo, apretándole un poco más por el cuello–. Si entras en mi casa te los enseñaré con mucho gusto. Y te enseñaré, además, una preciosa colección de postales que me regaló mi tía.

Serafina no es tonta. No pica en el anzuelo. Me dice que no siente demasiado interés por los libros y que prefiere hablar de quesos. Todas sus hermanas, mientras tanto, han llegado a la plaza. No tengo, pues, más remedio que soltarla. Arriba, en la ventana, la vieja de los dos dientes vuelve a correr los visillos.

3

Siete de la tarde. Mi charla con Serafina me ha trastornado. Se lo cuento a Juan –que hace un rato vino con un par de panes del día y unas cuantas provisiones más– y me dice que él no entiende de esas cosas. No sé, sin embargo, a qué cosas se refiere.

34 de mayo

1

Ya sé que puede chocar a más de cuatro, pero así son las cosas: hoy he decidido que sea 34 de mayo. Un día, pues, que no está incluido en el calendario y que ni siquiera pertenece a los hombres normales.

Esta noche pasada he soñado con Serafina y me desperté sobresaltado. Creo que lo que soñé fue bastante fuerte. Luego no pude volver a coger el sueño y me pasé más de dos horas en la cama recordando amores imposibles. Pensé, por ejemplo, en aquel pastor que se enamoró de una cabra y murió a consecuencia de los topetazos que le dio un macho cabrío celoso.

Creo que hace ya bastante tiempo leí esa historia en uno de mis libros imposibles. Lo que no puedo decir es si esa historia ocurrió realmente.

2

La una de la madrugada. Me he pasado un par de horas viendo la televisión, pero no he visto al hombre del bigote. Esta noche, de todos modos, no tenía muchas ganas de verle.

Pongo unas cuantas alubias y un par de patatas a hervir y mientras me las estoy comiendo pienso en Roque, que tampoco esta noche se ha dejado ver. Ese sinvergüenza funciona con corriente alterna.

Me voy a la cama con las alubias clavadas en el estómago, pero a pesar de todo me quedo dormido como un tronco. Luego empiezo otra vez a soñar. Yo creo que durante estas últimas noches estoy soñando demasiado. Sueño, además, cosas que nunca había soñado antes.

«A lo mejor eso quiere decir que empiezo a desmoronarme por dentro», pienso.

Esta noche, sin embargo, he conseguido recordar mi sueño. Yo estaba viendo el televisor y de pronto me entraron unas ganas locas de enterrarlo, así que cogí el televisor bajo el brazo, bajé al huerto y lo dejé caer en un agujero. Luego llegaron un par de cuervos y lo supervisaron todo desde la rama más alta del único manzano que hay en el huerto.

Creo que esos cuervos eran los mismos que el otro día vi en lo alto del ciprés del cementerio, pero no estoy seguro porque todos los cuervos son negros y se parecen bastante.

3

Las cuatro de la mañana y está nevando. Mañana el pueblo amanecerá con un palmo de nieve. Algún día alguien me contará por qué razón esta primavera me está saliendo tan miserable.

–Cuéntame la historia de ese pastor que se enamoró de una cabra –me pregunta el hombre del espejo.

–Te la contaré con la condición de que luego no vayas diciendo por ahí que soy un chiflado –le digo–. Aquel pastor se llamaba Cratis y después de su muerte sus paisanos levantaron un hermoso mausoleo en su honor.

El hombre del espejo me observa con una mirada enrojecida –se le ve en la cara que está muy cansado–, pero no hace comentarios.

35 de mayo

1

Ha continuado nevando durante todo el día, pero he llegado a la conclusión de que es mejor que no me preocupe más por la meteorología. Me he pasado la tarde escribiendo sobre el pastor Cratis y sobre un hombre que se enamoró de la vaca de su vecino.

Mientras escribo estoy asomado a mi paisaje interior, que dispone de sus propios soles, lunas y estrellas. Al cuerno, pues, lo que pase ahí fuera.

–¿Cree usted –le pregunto luego al hombre del bigote, que acaba de aparecer en la pantalla de televisión– que los hombres pueden enamorarse de los animales?

El hombre del bigote me habla de zoofilia erótica y me explica que se han conocido algunos indivi-duos sobre quienes los animales ejercían una cierta acción afrodisíaca.

–La zoofilia es una variedad de la zoopatía –aña-de luego–, aunque también podría considerarse como una variedad de la zooantropía.

–¿No cree pues que el amor es sólo propio de los hombres y de las mujeres? –continúo preguntán-dole.

Pero ahora ya no quiere responder. Hace incluso como si no me oyese. Se vuelve hacia la mujer que tiene a su lado embutida en un vestido de lentejue-las y le pregunta cuál es el último disco que ha gra-bado.

Ese hombre es un actor consumado: finge hablar con uno cuando en realidad está hablando con otro.

2

Dos de la madrugada. Otra noche de insomnio. El aire está lleno de crujidos misteriosos. Los viejos muebles se cuentan sus secretos –después de tantos años, todavía tienen secretos que contarse– y entre los trinos del jilguero disecado que bajan del desván me parece escuchar la risa loca de Matilde.

–¿Dónde estás ahora, princesa mía? –le pregun-to–. ¿Dónde tejes esta noche tus redes? ¿En qué di-mensión? ¿De qué color es esta noche tu luna?

Salto de la cama, me echo una manta por enci-ma de los hombros y subo al desván para sentirme más cerca del recuerdo de Matilde.

–¿A quién estás mirando ahora? –continúo preguntándole–. ¿A quién devoras con aquellos ojitos de reina hambrienta y solitaria? ¿A qué amantes metafísicos devoras? ¿Qué fue de aquel corazoncito tubuloso del que te sentías tan orgullosa?

No hay respuesta. Sólo ladridos de un perro a lo lejos –puede que sea el mastín presuntuoso– y el aullido del viento. Me quedo un rato más en el desván, esperando que regresen las carcajadas, pero la muy pilla no vuelve a reírse. Esté donde esté, prefiere dejarme en la duda. No sé, pues, si sus carcajadas de antes fueron reales o si fueron otra broma de mis sentidos.

Mañana, de todas formas, escribiré un poema en su memoria. Será una especie de homenaje a la perfección desaparecida.

36 de mayo

1

Esta mañana el alcalde me ha traído una carta de su sobrino. Me dice que la entrevista al cerdo le parece muy interesante, que le gusta también mucho al director de la revista y que la publicarán cuando le toque el turno.

«Ya sabemos», escribe, «que algunos lectores no se la tomarán en serio, pero la culpa será de ellos, y no nuestra.»

La cosa no deja de tener gracia y pone una vez más al descubierto lo difíciles que pueden ser algunas veces las relaciones entre los hombres: el alcalde y su sobrino me engañan, yo les engaño, ellos pretenden engañarme haciéndome creer que no saben que yo les engaño, y así sucesivamente, hasta el infinito.

–¿Será cierto –le pregunto al alcalde, mirándole directamente a los ojos– que no deben juzgarse engañados quienes conocen su engaño?

El cretino no entiende lo que quiero decirle. O puede también que finja que no me entiende.

–¿De verdad cree usted que alguien puede hablar con un cerdo? –continúo preguntándole, sin dejar de mirarle a los ojos–. ¿Creen ustedes realmente que un hombre, por mucha que sea su buena voluntad de entenderse con todo el mundo, puede entrevistar a un puerco?

Le he cogido por sorpresa y durante algunos instantes se queda con la boca abierta, sin saber qué responder. Me mira, incluso, de otro modo, como si en estos momentos acabase de descubrir que soy un hombre normal que sabe muy bien que los cerdos han venido a este mundo solamente para convertirse en morcillas o en longanizas.

Hay, sin embargo, algo seguro: ese pobre hombre no las tiene todas consigo y no se atreve a preguntarme por qué pienso que no puede hablarse con los cerdos y sí con los perros, con las vacas, con las ovejas o con otros animales de corral o incluso silvestres, como los sapos. Mejor que no lo haga, porque mi respuesta –aunque en estos momentos no se me ocurre qué respuesta podría ser ésa– podría ser contundente.

No quiero, de todos modos, tirar demasiado de la cuerda. Por el momento prefiero continuar haciéndome el tonto. Le paso la bota de vino y el alcalde hace una demostración de sus habilidades: se echa el vino en la frente y por los surcos de la cara le baja hasta la comisura de los labios. Luego, con la punta de la lengua, recoge el vino y se lo mete dentro de la boca. No todo el mundo es capaz de hacer una cosa semejante. Lo ha hecho, seguramente, porque me ve un poco mosca y quiere devolverme la sonrisa.

Nos sentamos en el banco del zaguán y empieza a contarme algunas cosas de mi tío difunto. Me explica, por ejemplo, que él no era capaz de hablar con las vacas, pero que se lo pasaba la mar de bien tocándoles las tetas.

–Lo que pasa –le digo entonces yo, para disculpar un poco a mi tío– es que Dios se sirve de los animales para instruir a los hombres.

Luego le pregunto cómo es posible que nieve en pleno mes de mayo y se encoge de hombros. Otra vez brilla en su mirada el destello burlón de siempre.

2

Roque sigue sin dejarse ver. No me queda más remedio que admitir que ese gato no tiene ya ningún interés en hablar conmigo.

37 de mayo

1

Tal como pintan las cosas, algunas veces pienso que podría llegar al 247 de mayo sin que pudiese anunciar el nacimiento de la primera flor. No me gustaría, sin embargo, acabar resignándome a tanta desolación. Necesito creer que todo esto es un mal sueño del que antes o después acabaré despertándome.

Esta mañana he hablado con la mujer de Juan. Yo estaba sentado en el banco de la plaza, con la bota de vino al alcance de la mano. Me puse allí para que me viese todo el mundo. Antes de salir de casa había estado empinando el codo y puede que entonces estuviese más alegre de la cuenta. María se sentó a mi lado y me contó que su marido estaba otra vez en el pueblo vecino.

–Se fue ayer y no volverá hasta mañana por la tarde –me dijo en voz baja y mirándome a los ojos sin pestañear.

Luego añadió que tenía al perro atado a la pata de la mesa y que podía ir a entrevistarle cuando me diese la gana.

–Muy bien, muy bien –le contesté–, pero antes de entrevistar al perro tengo que hacerle al gallo unas cuantas preguntas que el otro día se me quedaron en el tintero.

–¿Qué preguntas son ésas? –me preguntó María, quitándome la bota de la mano.

–Por ejemplo –le contesté– le preguntaré por qué

los gallos inclinan la cabeza cuando pasan por una puerta, por alta que sea.

–Seguramente –supuso, sin dejar de mirarme a los ojos– eres tan listo que sabes de antemano lo que te contestará el gallo.

–Desde luego –le dije–. Me contestará que bajan la cabeza para no dañarse las crestas, que es de lo que más orgullosos se sienten. Y a lo mejor aprovecha la ocasión para echarse un farol y decirme que son ellos, y no las gallinas, los que incuban los huevos.

–Eso de los huevos me gusta –me dijo entonces María, echándose un poco hacia adelante.

Cuando vi que se ponía de ese modo pensé que lo mejor era marcharme, así que le cogí la bota, que tenía apretada al pecho, y volví corriendo a casa. Me fui con tantas prisas que ni siquiera le dije adiós.

2

Las once de la noche. Roque ha venido a verme cuando estaba a punto de meterme en la cama. Sabe que esta noche lo necesito especialmente. Nos sentamos delante del hogar y le confieso que la mujer de Juan me da un poco de miedo.

–Ya sabes lo que pasa con algunas mujeres –le digo–. No te perdonan nunca si te dan alguna oportunidad y tú la desaprovechas.

Roque se queda un rato en silencio, pensando en lo que acabo de decirle, y luego me pregunta qué es lo que puedo saber yo de mujeres. No me lo ha preguntado con la intención de molestar, pero prefiero no contestarle y continuar hablando de otras cosas.

–Hay un pueblo por aquí cerca –le explico– en el que cuelgan los gallos por las patas. Luego llegan los mozos montados a caballo y les arrancan la cabeza tirando del cuello.

Roque no hace ningún comentario, como si no diese ninguna importancia a la vida de los gallos, y yo le explico entonces que Cicerón decía que quienes matan un gallo son tan culpables de homicidio como los que ahogan a su propio padre. Mi pobre amigo, sin embargo, no sabe quién es Cicerón.

38 de mayo

Me he pasado el día durmiendo. Hace un rato me levanté de la cama para ver la televisión. El hombre del bigote me ha dicho que todavía queda bastante nieve en los caminos y yo se lo conté luego al hombre del espejito. Luego dejé entornados los postigos de la ventana y volví a meterme en la cama.

39 de mayo

1

No hay que perder nunca la esperanza porque, al fin y al cabo, ella es nuestro único alimento. Esta mañana, al despertarme, me he encontrado con el rayo de sol que entraba por la ventana y venía a dar sobre el espejo del armario.

–¡Dios sea loado! –exclamé, saltando de la cama–. Ese rayo de sol me está diciendo que la ventana de este cuarto está orientada hacia el este, y no hacia el oeste, tal como había estado pensando hasta ese preciso instante.

Y justo cuando me estaba haciendo esa reflexión escuché los silbidos de una golondrina y fue como si se me hubiese disparado una alarma en el corazón.

–¡Esta vez sí, esta vez sí! –me dije.

Abrí la ventana de par en par, saqué la cabeza y me pasó lo mismo que el otro día: no vi a la golondrina por ninguna parte. «Es la misma golondrina fantasma del otro día», me dije. Fui a sentarme a la mecedora y me quedé con la mirada puesta en la ceniza del hogar pensando cosas que no había pensado nunca.

«Amigo mío», me dije, «reconoce que los sentidos han vuelto a jugarte una mala pasada.»

2

Mediodía. Abajo los negros presentimientos. He decidido proclamar la llegada de la primavera unilateralmente. El aire huele a rosas y a jazmines recién cortados.

«No se hable más», me digo, apretando los puños.

Bajo a la calle a cuerpo limpio, me siento en el

banco de la plaza y me arremango las mangas de la camisa. Desde el otro lado alguien me grita que voy a coger una pulmonía, pero yo hago como si no le oyese.

3

Medianoche. Roque ha venido otra vez a verme. Me pide que le encienda la chimenea porque se está muriendo de frío. Le pregunto si también a él le pareció esta mañana que el aire olía a flores y me dice que no. Enciendo el fuego y estamos un buen rato callados. De pronto alguien da tres golpes en la puerta de la calle.

«¿Quién puede llamarme a estas horas?», me pregunto. «¿El alcalde, con una nueva carta de la revista? ¿La mujer de Juan, que no puede resistir más tiempo sin que la muerda en la nuca?»

No pienso bajar a abrir la puerta. Continúo en la mecedora, con los ojos entornados, escuchando cómo crepitan los troncos. Roque me dice que no le parece normal que un hombre que se siente tan solo como yo y que está deseando con toda el alma hablar con la gente se quede luego tan tranquilo, sin demostrar el menor interés por saber quién está llamando a su puerta.

–Puede que no te falte razón, pero así son las cosas –le digo.

40 de mayo

1

Que nadie se ría por lo de cuarenta de mayo. Soy hombre de palabra y continúo decidido a darle a la primavera todos los días que sean necesarios para que se decida por fin a comparecer con todas sus flores.

No quiero que luego me venga con la excusa de que no le di suficientes oportunidades.

Esta mañana, cuando todavía estaba en la cama, alguien ha vuelto a llamar a la puerta de la calle.

–¡Baja de una vez, que me estoy pelando de frío! –me gritó una voz de mujer que no era la de María.

Bajé a abrir, pero no encontré a nadie. Poco más o menos, me pasó lo mismo que con la golondrina fantasma.

2

Roque, ya lo dije hace unos días, funciona con corriente alterna, como algunos anuncios luminosos. Se enciende, se apaga, se enciende, se apaga, y así sucesivamente. Esta noche me ha castigado otra vez con su ausencia. Seguro que tiene otros amigos con los que comparte su tiempo libre. Algunas veces, sin embargo, pienso que a lo mejor lo hace a propósito, para obligarme a pensar más, es decir, para que sea yo mismo quien encuentre las preguntas a las respuestas que tanto me inquietan. Si es así, no va desencaminado. Reconozco que ese gato me hace compañía, pero reconozco también que cuando estoy solo mis exámenes de conciencia son mucho más detallados y rigurosos.

Hace un rato encendí el televisor, pero tampoco hoy compareció el hombre del bigote. Esta noche –aparte del hombre del espejo– no tengo a nadie con quien hablar, pero me queda el consuelo de pensar que tal vez en estos momentos Roque y el hombre del bigote estén tomando una caña a mi salud.

Esta noche tengo pues que conformarme con el calvo anodino del otro día, que continúa sin reunir el valor suficiente para mirarme a los ojos. Estoy seguro de que ese individuo es culpable de graves pecados, que no se atreve a confesar a nadie.

41 de mayo

1

Por fin Juan ha conseguido reunir el valor suficiente. Esta mañana vino a casa para decirme que el alcalde y su sobrino me están tomando el pelo desde el primer día y que eso lo sabe todo el pueblo.

–Ahora están preparando algo muy gordo –me dice también Juan, que me ha traído otra garrafa de tinto y una paletilla de jamón–. El sobrino quiere avisar a los de la televisión para que vengan al pueblo a hacerte un reportaje.

–Pues eso no estaría tan mal –le digo.

Supongo que debe de ser para uno de esos programas en los que entrevistan a gente bastante rara. Hace unos días, por ejemplo, sacaron a un enanito vestido de explorador, lo metieron en una olla e hicieron como que lo guisaban con unas cuantas zanahorias y patatas.

–Lo que quiere el alcalde es promocionar este pueblo –continúa diciéndome Juan–. Que vengan más forasteros.

–Pues a lo mejor van a por lana y vuelven trasquilados –le digo–. Te diré, de todos modos, que hace ya algunos días que tenía la mosca detrás de la oreja. Por eso les di algunas entrevistas falsas.

–Lo malo es que esos cabrones son más listos que nosotros –suspira Juan.

Vuelvo a llenar los vasos de vino y nos quedamos callados, pensando cada cual en sus asuntos. Ahora que ya estoy seguro de qué va la cosa, me convendría decidir lo antes posible qué es lo mejor que puedo hacer a partir de hoy.

–Lo peor es que son más listos que nosotros –repite Juan, como si la cosa fuese también con él.

–Eso habrá que verlo –le digo.

Y nos quedamos otra vez en silencio, mientras los niños –que hoy no fueron a la escuela por culpa del mal tiempo– juegan en la plaza a tirarse bolas de nieve con una piedra escondida dentro. Al cabo de un rato Juan me pide que le llene otra vez el vaso de vino –ya es el quinto que se bebe en un rato– y me confiesa que alguien le ha ido también con el chisme de que su mujer se la había jugado un par de veces con el sobrino del alcalde. Yo le digo que hay gente que tiene la lengua muy larga, pero eso no le sirve de consuelo y al cabo de un rato se marcha llorando.

2

Voy a pasarme el día encerrado. No pienso salir a la calle. No quiero que esos chicos me persigan tirándome bolas de nieve. No puedo soportar la nieve.

Otra cosa: si esta noche viene Roque, no pienso contarle lo que me ha dicho Juan de su mujer. No confío en la discreción de ese gato.

42 de mayo

1

Esta mañana he vuelto a la colina, pero no encontré al rebaño por ninguna parte. El monte está cubierto con un palmo de nieve, las ovejas no pueden pastar y el pastor prefirió no sacarlas de los corrales. Tendría, pues, que averiguar en qué corral del pueblo está encerrada Serafina.

La verdad –lo reconozco francamente– es que me gustaría conquistar el afecto de esa oveja. Ayer noche leí en uno de mis libros que los pastores de la antigüedad recurrían al halago cuando querían atraerse el favor de alguna de sus cabras. Puede que con las ovejas sirva el mismo método de seducción.

2

Casi no me quedan troncos secos –los que tengo en el huerto están cubiertos de nieve–, pero enciendo la chimenea y me siento en la mecedora. No quiero que nadie se escandalice, pero siento cómo, poco a poco, se me va calentando determinada parte del cuerpo.

Una vez más queda pues demostrado que en determinados asuntos igual da que llueva como que nieve. Aunque los pájaros se hielen de frío, yo tengo una primavera particular sentada a horcajadas sobre mis riñones.

Es mejor, pues, que me aparte del fuego. Voy a la ventana, la abro de par en par y con el mango de la escoba vuelvo a golpear el nido de barro que hay debajo del alero.

–¡Sal de ahí, so cabrona! –le grito a la golondrina–. ¡No pienses que voy a estar esperándote toda la vida!

La vieja de los dos dientes está espiándome desde su ventana. No hay mucha luz, se ha hecho casi de noche, pero he visto cómo se movían los visillos. Mis relaciones con esa mujer están rotas desde que el otro día se permitió llamar asqueroso a mi sapo. Mi venganza va a ser, pues, muy sencilla: para fastidiar a esa bruja, voy a estar un rato hurgando con la escoba en ese nido vacío.

3

Las diez de la mañana. Me asomo a la ventana para ver qué queda del nido de la golondrina que ayer noche estuve aporreando de lo lindo.

Pocas veces he visto un cielo tan azul, pero no es ése todavía el azul que estoy esperando. Sopla un airecillo que corta la piel. La vecina vuelve a montar guardia en su ventana. La muy ladina finge estar regando los geranios, pero lo que hace es espiarme. La saludo amablemente con una inclinación de cabeza y en lugar de devolverme el saludo se santigua apresuradamente, como si se le acabase de aparecer el diablo. Se ha puesto tan nerviosa que está echando el agua de la regadera fuera de la maceta.

–¿Qué tal su marido? –le pregunto, sin dejar de sonreír–. ¿Es cierto que se entendía con una sobrina suya? ¿Es verdad que le abandonó hace quince años y se largó con esa chica por esos mundos de Dios?

La vieja vuelve a santiguarse y entra en la casa. Cierra la ventana con tanta fuerza que casi rompe los cristales. No me gustaría tener a esa mujer como juez, estoy seguro de que volverían a encerrarme. De todas formas, no quiero que piense que le tengo miedo y continúo asomado a la ventana. Todavía queda mucha nieve en la colina y en los tejados de las casas.

Al bajar la mirada descubro a Roque, escondido entre los soportales de la plaza. Me gustaría saber qué hace ese truhán a estas horas de la mañana. Puede que se haya pasado la noche rondando a alguna gata. Le saludo con la mano, pero no responde. Estoy seguro, sin embargo, de que me ha visto.

Diez de la noche. El hombre del bigote continúa sin dejarse ver. Puede que esté enfermo. Estoy seguro de que ese individuo, a pesar de su frondoso bigote, no goza de buena salud.

En su puesto sigue el calvo descolorido. Esta noche, aunque sólo fuese por un instante, se atrevió a levantar su mirada por encima de los papeles, pero tuvo la mala suerte de encontrarse con la mía y enrojeció hasta el blanco de los ojos.

43 de mayo

1

Juan ha venido a pedirme perdón por la trompa que cogió el otro día en mi casa, y también por haberme calentado la cabeza con tonterías. Le pregunté qué tonterías eran ésas y me contestó que se refería a lo que me contó de su mujer y el sobrino del alcalde.

–No se cómo se me ocurrió semejante barbaridad –suspiró, moviendo varias veces la cabeza.

Pensé que lo mejor era no continuar con ese tema, pero no se me ocurrió de qué podíamos hablar y estuvimos durante un buen rato callados. De pronto, al mirarle a la cara, me pareció que también él tenía el ojo derecho más grande que el izquierdo.

–A lo mejor ahora resulta que tú y yo somos de la misma familia –le dije.

–Pues a lo mejor –me contestó–. A lo mejor somos primos lejanos. Nunca se sabe.

Y luego añadió que en todos los pueblos pequeños, cuando rascas un poco, casi todos los habitantes son parientes lejanos.

–Dios dijo hermanos, pero no primos –le solté entonces yo, sin la menor intención de molestarle.

Y al oír esa tontería se le heló la sonrisa en los labios y se fue poniendo cada vez más triste, seguramente porque se había puesto a pensar otra vez en su mujer. Me dio un poco de pena, así es que llené la bota de vino y estuvimos bebiendo sin parar durante un buen rato. Cuando le tuve ya bastante cocido le dije que no se preocupase más por su mujer y que todo el mundo tenía sus malos rollos y sus secretos que guardar.

–Yo también tengo los míos –le confesé.

Y antes de que me lo preguntase, le dije que había asesinado a Matilde mientras estaba cantando y que tenía la intención de escaldar a Roque con agua hirviendo. Juan no tenía ni idea de quién era Matilde, ni tampoco de quién era Roque, pero estaba demasiado borracho para preguntármelo.

2

He vuelto a poner falta a Roque. A lo mejor mañana me decido a tapar la gatera para cerrarle definitivamente la entrada en esta casa.

44 de mayo

Debe de ser cuestión de mala suerte, pero esta mañana bajé al huerto y no encontré ni un solo tomate, ni maduro, ni verde. Ni siquiera encontré el lugar donde crecen las tomateras.

–¿Te das cuenta? –le he preguntado a Roque, que ayer noche debió de entrar en casa cuando yo estaba ya metido en la cama y al que esta mañana he descubierto durmiendo en la mecedora–. Después de una primavera sin flores, llegará un verano sin frutos.

No quise preguntarle por qué se presentó ayer tan tarde, para que no se crea más importante de lo que es.

–Lo que pasa es que estamos en invierno –me contestó Roque, fiel a su costumbre de llevarme la contraria.

Y se me quedó mirando a los ojos, como desafiándome a que lo corrigiese. No quise darle ese gusto y me puse a buscar el sapo por todos los rincones del huerto, pero no lo vi por ninguna parte. Hace unos días ese dulce animalito recorrió una gran distancia para venir a verme, pero a lo mejor se cansó de estar en el huerto y regresó al campo para sentirse otra vez completamente libre.

45 de mayo

1

Me gustaría saber por qué razón la nieve es precisamente blanca y no de cualquier otro color. Puede que sea una tontería, pero me gustaría que alguien me lo explicase todas las veces que fuese preciso hasta que lo tuviese muy claro.

Escribo todo esto porque otra vez se ha pasado el día nevando.

«¿Qué hago?», me pregunté esta mañana al asomarme a la ventana y encontrar el cielo con cara de muerto. «¿Me meto otra vez en la cama y aprieto los puños, a ver si me quedo dormido y sueño tiempos mejores? ¿Salgo a la calle en mangas de camisa y me voy a dar una vuelta por la plaza, para que todo el mundo comprenda que no tengo la menor intención de rendirme?»

Me decidí al final por salir de casa en mangas de camisa y dar una vuelta por los alrededores del pueblo. Antes, sin embargo, me estuve calentando un poco por dentro con unos cuantos vasos de vino. Cuando empecé a verlo todo de color rosa salí a la calle, cogí el camino del cementerio y me senté sobre el muro de piedra. Entonces ya no nevaba, pero podía hacerlo en cualquier momento.

«Estoy instalado en el centro del silencio», me dije, paseando la mirada por los alrededores.

Y justo en ese preciso instante empezó a cantar una perdiz no demasiado lejos de donde yo estaba, de forma que pude entender perfectamente todo lo que dijo.

–Yo soy la perdiz, yo soy la perdiz –cantó dos veces–. Y proclamo ante todo el mundo que no tengo nada de homosexual. Por el contrario, soy un ave lasciva y propensa al adulterio.

Eso era, justamente, lo que dos o tres días antes yo había leído sobre las perdices en uno de mis libros imposibles, pero no tuve bastante con que me dijese únicamente eso. Quise saber más cosas. Me puse de pie sobre la pared y busqué con la mirada el lugar donde podía estar escondida. Cuando pensé que la tenía localizada le pregunté cómo podían ser propensas al adulterio, si las perdices, por lo que se sabe, no se casan jamás

–¿Qué entendéis vosotras por adulterio? –le pregunté, pensando también un poco en la mujer de Juan.

La perdiz, en lugar de responderme, me contó –y eso también lo había leído yo en alguna parte– que las perdices machos eran tan rijosas que muchas veces destruían los huevos que empollaban las hembras para que, al no tener que empollarlos, tuviesen más tiempo libre para hacer el amor.

Hubiera podido preguntarle entonces qué era lo que las perdices opinan a propósito del amor, pero no quise ponerla en un compromiso. No conviene andar por ahí formulando a la gente preguntas tan difíciles. La perdiz continuó cantando de vez en cuando, pero a partir de ese momento ya no dijo nada que valiese la pena escuchar. Luego, de pronto,

160

enmudeció y otra vez me encontré solo en el centro del silencio.

2

–¿Por qué cree usted que la nieve es blanca? –le he preguntado esta noche al calvo del televisor–. ¿Y por qué piensa mucha gente que las perdices son tan cachondas?

Se hizo el desentendido y cuando vino Roque le hice las mismas preguntas, pero tampoco quiso opinar al respecto.

46 de mayo

1

Creo que el sapo ha tomado las de Villadiego. Me he pasado la mañana buscándole por todo el huerto, pero no le vi por ninguna parte. Existen, pues, dos posibilidades:

Primera: Que, después de pensárselo unos días, haya decidido marcharse con la música a otra parte.

Segunda: Que se haya suicidado arrojándose al pozo que hay en un rincón del huerto y que seguramente se comunica con alguna intrincada red de galerías subterráneas.

Cada una de esas dos posibilidades nos lleva a otras posibilidades, y así sucesivamente, pero por ahora no quiero meterme en berenjenales. Me limitaré a admitir los hechos con resignación: el sapo, sea por la razón que sea, ya no está a mi lado.

Lo consigno pues en mi diario con letras de imprenta: EL SAPO HA DESAPARECIDO.

2

Roque me aconseja que no me preocupe más por el sapo porque todos los sapos que se van, antes o después acaban regresando. Me dice también que lo que más abunda en este mundo son los sapos y que los hay de todas las razas y condiciones. Todo eso me lo cuenta con un delicado ronroneo y sin apartar la mirada de las llamas rojas, azules y anaranjadas que se enroscan alrededor de los troncos.

–Todo es cuestión de armarse de paciencia y de saber esperar –susurra, bostezando.

Esta noche parece de mejor humor y menos taciturno que otras veces. Puede que vaya recuperando el buen talante de los primeros días. La otra tarde le confesé a Juan que tenía pensado escaldarle con agua hirviendo, pero sólo cumpliré mi amenaza si comete el error de hablarme otra vez de Cleopatra.

–¿Y usted? ¿Qué es lo que piensa? –le pregunto ahora al calvo del televisor, que no deja de leer papeles y más papeles–. ¿Cree que el sapo regresará algún día? ¿Piensa que se marchó para siempre?

El hombre responde desde el fondo de la pantalla con un gesto que no soy capaz de interpretar. No sé, pues, si ha dicho que sí, o ha dicho que no. Creo que ese individuo me preocuparía bastante si sintiese por él algún afecto. Cada día le veo más pálido y las facciones se le van difuminando poco a poco.

A pesar de todo, prefiero al hombre del bigote. Me gustaría saber, por cierto, dónde se esconde ahora ese granuja. Estoy seguro de que, se encuentre donde se encuentre, está tramando algo.

47 de mayo

1

Hace ya muchos días que la inspiración me da la espalda. Todo lo que escribo es francamente malo, y es una suerte que sea yo mismo quien se dé cuenta y no los demás, como suele ocurrir casi siempre.

Una vez más, pues, he vuelto a hacerme esta mañana las preguntas de siempre: ¿por que los poetas desperdiciamos tanto papel a la izquierda y derecha de nuestros versos? ¿Y si lo mejor de un poema no estuviese en lo que nos dicen los poemas, sino en el blanco que los circunda? ¿Y si los hombres tuviesen que aprender a leer en esos espacios inmaculados?

2

Esta tarde he decidido no tener frío y no encender la chimenea. Hace dos horas, sin embargo, llegó Roque y me exigió que la encendiese.

–O la enciendes ahora mismo, o me vuelvo a mi casa –maulló, con cara de pocos amigos.

Y no tuve más remedio que obedecerle. Ese gato se está convirtiendo en un pequeño tirano. Sabe cuánto lo necesito –aunque me esfuerce en ocultárselo– y se aprovecha de esa circunstancia. Otros, en su puesto, harían lo mismo. Algunas veces se comporta como si realmente fuese descendiente directo de Cleopatra y viviese en el mismo palacio de granito rojo en el que vivieron sus antepasados.

Esta noche ni siquiera hemos visto en la televisión al calvo descolorido. Estuvieron más de dos horas retransmitiendo un partido de fútbol y tanto Roque como yo nos aburrimos bastante. No tengo nada contra ese espectáculo –yo mismo me he pasado muchas horas dándole patadas a un balón en el patio del hospital–, pero me parece que durante estos últimos años se están pasando de rosca.

Reconozco, de cualquier modo, que en estos tiempos de crueles soledades individuales, el fútbol reúne a infinidad de personas en un estadio y les permite gritar todas al mismo tiempo. Algo es algo.

Nota

Esta mañana –prefiero contar este lance al final– estuve un rato en la plaza y vi al alcalde. Iba acompañado por su colega del pueblo vecino y, a juzgar por la forma de mover las manos, me dio la impresión de que iban hablando de cosas importantes, pero cuando me descubrieron sentado en el banco cambiaron de rumbo y vinieron a saludarme.

–No te preocupes –me dijo el alcalde, dándome un par de palmaditas en la espalda–. Creo que pronto tendremos buenas noticias de la revista.

Le pregunté si ya sabía cuándo pensaban publicar mi entrevista al cerdo y me dijo que aún no le habían dado una fecha concreta, pero que confiaba en saberlo muy pronto. Me dijo también que no quería adelantar acontecimientos, pero que un pajarito le había dicho que los de la revista tenían la intención de encargarme más entrevistas.

–¿De las imposibles o de las otras? –le pregunté, para que se diese cuenta de que sabía distinguir entre las dos clases.

Y el hombre no supo entonces qué responder. Cambió una mirada de inteligencia con el otro alcalde, me dijo adiós y se fueron poco a poco hacia el otro lado de la plaza moviendo otra vez las manos.

48 de mayo

1

Hoy brilla el sol y el cielo muestra a todos los hombres, por lo menos a los de este pueblo, su cara azul, que es la mejor de todas las que tiene.

Esta mañana he conseguido freírme un par de huevos y un poco de chorizo. Hace una hora Juan los dejó sobre el banco del zaguán. Yo estaba todavía en la cama y cuando bajé a recoger la cesta y a darle las gracias ya se había ido.

Me parece que si no fuese por ese buen hombre me habría muerto de hambre hace ya bastantes días. Creo que ya lo dije antes en este mismo Diario: ni siquiera los mejores poetas pueden olvidarse de su estómago. El Ave Fénix se alimentaba cada mañana de gotas de rocío, es cierto, pero puede que ésa sea la razón de que no quede ya en este mundo un solo ejemplar vivo. El último se murió de hambre hace ya muchos años y, además, sin la menor posibilidad de renacer de sus propias cenizas, como hacían antes.

2

Me dispongo a volver a la colina y apenas salgo del pueblo me cruzo con la vaca, que va camino del abrevadero. Un encuentro inesperado. La vaca pasa por mi lado sin levantar la cabeza, pero el gañán me pregunta si se me han quitado ya todas las ganas de charlar con ellos. Le contesto que estos días ando muy ocupado, pero que tengo la intención de volver al abrevadero para conversar un poco con su vaca a propósito de la pretensión de algunos hombres que se creen más listos que los demás.

El gañán no entiende el doble sentido de mis palabras y me pregunta qué tal ando de salud, porque alguien del pueblo le había dicho que no tardaré en agarrar una pulmonía.

–Creo que estoy muy bien –respondo–. Por lo

menos, cada mañana me despierto con el rabo tieso.

–¡Ja, ja! –se ríe el hombre, dándome una palmada en la espada. Y se aleja corriendo tras la vaca, que ha doblado ya la esquina.

3

Esta mañana el pastor no permite que me acerque al rebaño. Me cierra el camino extendiendo los dos brazos en cruz. Las ovejas, al darse cuenta de lo que pasa, balan amargamente. Le pido al pastor que me dé una razón y el muy cabrón, sin mirarme a la cara, me dice que hoy no está el horno para bollos y que ya está cansado de cachondeos.

–Se acabó lo que se daba –masculla, levantando la mirada al cielo.

No tengo pues más remedio que volver al pueblo con el rabo entre las piernas.

Nota

He preferido una vez más utilizar el presente histórico para relatar el disgusto que he sufrido esta mañana. De vez en cuando, es el tiempo que más me conviene.

–¿Por qué? –podría preguntarme alguien poco amigo de las sofisticaciones literarias.

–Porque hablar de nuestras desgracias utilizando el pasado –le contestaría–, significa tanto como alejarnos excesivamente de ellas, y eso no me parece lo más apropiado cuando el recuerdo de nuestras desgracias permanece en nosotros y continúa doliéndonos.

167

El presente histórico, en efecto, me parece el tiempo más indicado para que el posible lector de este Diario comprenda la magnitud de mi dolor.

4

El calvo de la televisión estuvo hablando esta noche del cultivo de las berenjenas y las zanahorias, que son dos hortalizas por las que siento un profundo respeto. Le pregunté algunas cosas sobre el cultivo de los rábanos pero no quiso responder.

Roque no ha venido todavía a verme y no creo que se presente a estas horas. Es un gato listo y seguramente intuye que esta noche no estoy dispuesto a encender la chimenea, aunque me diesen todo el oro del mundo.

49 de mayo

Esta tarde me senté en la puerta de casa para esperar el regreso de las ovejas. Se presentaron poco antes de que se hiciese de noche y el pastor me saludó con la cabeza, pero no le contesté para que viese que estaba un poco dolido. Entonces se detuvo y sin moverse de donde estaba me pidió que le perdonase porque ayer le cogí en un mal momento. Me dijo también que si mañana vuelvo a subir a la colina, me permitirá hablar con las ovejas todo lo que me dé la gana.

–Ya veremos lo que hago mañana –le contesté–. Todavía me parece un poco pronto para hacer planes.

El pastor se fue y el rebaño, que también se había detenido, le siguió sin rechistar. Enseguida vi pasar a la oveja negra y a la oveja que sólo tenía una vesícula biliar. Les dije adiós, pero hicieron como si no me viesen. Luego pasó la oveja taciturna, es decir, la que lleva colgada una esquila sin badajo, y la retuve a mi lado del mismo modo que días atrás había retenido a Serafina –es decir, rodeándole el cuello con los brazos.

–¿Y si su afición por el silencio y la soledad fuesen consecuencia de sus muchos años? –le pregunté–. ¿Y si usted, como alguna de sus compañeras, hubiese cumplido ya los treinta y cinco?

La oveja taciturna no dijo ni mu. Me dio incluso la impresión de que no había entendido ni una sola palabra de lo que dije. Se me escurrió de entre los brazos y corrió a reunirse con sus compañeras.

«Tal vez», me dije entonces, bastante preocupado, «estamos llegando al fin. Tal vez mis amigos y yo no podamos continuar entendiéndonos y muy pronto las cosas vuelvan a ser como lo fueron siempre.»

Continué sentado a la puerta de mi casa hasta que pasó la última oveja, pero no vi a Serafina por ninguna parte.

50 de mayo

1

A pesar de mi pesimismo, continúo fiel a mi calendario particular: el cincuenta de mayo me parece una fecha de lo más estimulante.

Esta mañana vino a verme Juan para decirme que la vecina de los dos dientes había ido a ver al alcalde para decirle que por las noches pongo el televisor muy alto y no la dejo dormir. Parece ser que el cretino del alcalde le echa ahora la culpa al pobre Juan, porque, al fin y al cabo, fue él quien me regaló el televisor.

–No te preocupes –le dije, para tranquilizarle–. A partir de esta noche pondré el televisor muy bajo. Puede, incluso, que prescinda del sonido.

2

Después de comer bajé al huerto y estuve más de media hora llamando al sapo, pero no respondió.

–Creo que aquel sapo inofensivo y marginal se marchó para siempre –le digo esta noche a Roque.

Estoy seguro de que ese pícaro gato sabía de antemano que esta noche tenía el fuego encendido. Puede que viese salir el humo por la chimenea. Se tumba sobre su almohadón y me dice que todos los sapos que se van acaban regresando. Luego me pregunta por qué estoy viendo la televisión sin sonido y le cuento lo de la vieja de los dos dientes.

–Pues aquí desaparece todo el mundo –ronronea–. Desaparece el sapo, desaparece el hombre del bigote y desaparece el sonido del televisor. A partir de ahora habrá que tener cuidado con lo que nos pueda pasar también a nosotros.

Podría decirle algunas cosas que desde esta mañana me están rondando por la cabeza, pero esta noche no tengo muchas ganas de hablar.

51 de mayo

He vuelto a la colina. El pastor me recibe con una sonrisa. No es, sin embargo, la sonrisa de los primeros días. Sigo pensando que ese hombre no es el mismo de antes.

–¿Por qué me sonríe usted ahora de otro modo? –le pregunto sin morderme la lengua.

No entiende lo que quiero decirle y tengo que explicárselo. Le digo que las sonrisas nunca son idénticas y que hay una infinidad de matices y registros en la forma de distender los labios, pero que siempre puede encontrarse una razón secreta que establece y explica esas diferencias.

–El primer día –le digo– su sonrisa era distinta porque estaba convencido de que no podría pegar la hebra con sus ovejas. Era una sonrisa condescendiente. Ahora que sabe que puedo hacerlo, me tiene usted un poco de miedo.

–¿De qué puedo tener miedo? –me pregunta.

–Usted manipula a sus ovejas en la soledad del

171

monte. Su impunidad es absoluta. Seguramente tiene miedo de lo que ellas puedan contarme de usted. Puede que tengan algunos secretillos comunes. Ya se sabe lo que pasa algunas veces entre las ovejas y sus pastores.

–Creo que tiene razón –murmura el pastor, bajando la mirada al suelo.

Me deja a solas con el rebaño para que pueda moverme a mis anchas, y eso es lo que estoy haciendo ahora, ir de una parte a otra, pero no veo a Serafina por ninguna parte.

Me parece que no está en el rebaño. Podría preguntarle al pastor si esta mañana la dejó en el pueblo, pero prefiero no hacerlo para no darle más pistas.

52 de mayo

1

Han picado una vez más en el anzuelo: los de la revista me piden ahora que entrevise al último caballo que queda en el pueblo. Hace un rato vino a casa el alcalde para decírmelo. Se sienta resoplando en el banco de la cocina y le paso la bota de vino porque no quiero que crea que le guardo rencor. Me dice que ayer noche le telefoneó su sobrino desde la ciudad.

–Por lo visto, les corre bastante prisa –añade.

–Claro, nos faltaba el caballo –exclamo, dándome una palmada en la frente, como si yo tuviese la culpa por no haber caído antes en la cuenta.

Ni ese hombre ni su sobrino, por lo que veo, pierden el buen humor.

–Hay una cosa que no entiendo –le digo al cabo de un rato–. ¿Cómo saben los de la revista que en este pueblo sólo queda un caballo?

–Eso no lo sé –me contestó–. Supongo que debe de ser gente muy lista.

Otra coincidencia sospechosa, por si aún no hubiese suficientes: el único caballo que queda en el pueblo pertenece precisamente al alcalde.

Un día de éstos entrevistaré a ese animal. Será la guinda que corone el pastel. Como era de esperar, el alcalde pone su caballo a mi disposición y me adelanta que se llama Pinturero. Seguro que no tiene nada que ver con el Bucéfalo de Alejandro el Magno.

Ya lo dije el otro día: ya veremos quién es el último en reírse.

2

Esta noche me hubiera gustado comentar todo esto con Roque, pero, por ahora, ese pillo no ha venido a verme. Teniendo en cuenta la hora que es, no creo que se deje ver en toda la noche. Sí ha vuelto, sin embargo, el hombre del bigote. Hace un rato puse el televisor en marcha y cuando se iluminó la pantalla me lo encontré mirándome a los ojos.

Ahí está todavía, ocupando toda la pantalla del

televisor. Le encuentro bastante desmejorado. Puede que haya estado enfermo y que se encuentre todavía en plena convalecencia. La salud no se recupera así como así. Lleva, además, una corbata negra –o tal vez azul-negra– y pienso que ese detalle quiere decir alguna cosa.

Ni siquiera los colores de las corbatas se elijen sin una razón secreta.

–¿Dónde tiene usted a Roque? –me pregunta el pobre hombre, sacando fuerzas de flaqueza.

–Verá usted, ya no me fío mucho de ese gato –le contesto–. Unas noches viene a verme y otras no. No es el mismo gato de los primeros días. No me cuenta tantas cosas como antes y algunas veces pienso que ni siquiera escucha las que yo le cuento.

53 de mayo

1

Prosigue mi vía crucis particular hacia la primavera. Quiero pensar que cada día estoy más cerca. Hoy, por lo menos, ha amanecido sin una sola nube en el cielo.

Hay que aprovechar esa circunstancia. Bajo al huerto y me siento de cara al sol para ponerme un poco moreno. Durante un buen rato me quedo con los ojos cerrados y justo cuando vuelvo a abrirlos veo pasar un avión. Viene del oeste y vuela hacia el

174

este. Creo que es el primero que veo pasar por encima de este pueblo.

«Los aviones», pienso, «dejan en el cielo el mismo rastro plateado que dejan los caracoles sobre las hojas de una col.»

Me parece una observación brillante. Podría ser el principio de un hermoso poema. La verdad es que no entiendo por qué los amigos ponían cara de circunstancias cuando les decía que iba a leerles mis cosas.

2

Llega una nube y se esconde el sol, pero no quiero moverme del huerto. Puede que pase otro avión y se me ocurra otra metáfora aún más hermosa que la del caracol y la col. No puedo desaprovechar esa oportunidad.

De todas formas, lo que más me gustaría en estos momentos es tener el sapo a mi lado. Ha sido necesario que desapareciese para que pudiese comprender toda su importancia.

–Todos los sapos que se esfuman acaban regresando –me dijo Roque el otro día, para consolarme.

Lo que pasa es que ya no me fío ni un pelo de ese gato. Puede que me lo dijese de buena fe, pero puede, también, que lo dijese para despistarme y ocultar algún secreto horrendo que yo no debo conocer.

Lo cierto es que siento nostalgia de esa criatura, no quiero ocultarlo. Añoro su tristeza infinita y los lejanos incendios de su mirada. Le echo de menos tanto como a Matilde. Ahora mismo estoy sentado muy cerca del último lugar donde le vi por última vez y recuerdo como si fuese ayer lo que me dijo hace muchos años mi padre: los sapos rezan mejor que los hombres cuando se trata de pedir que llueva.

54 de mayo

1

Juan me ha traído un saquito de alubias y un par de membrillos que acaba de coger del membrillero que tiene en su huerto. Me gusta el color de los membrillos. Apetece hincarles el diente sólo por el color. Le digo a Juan que pensaba que los membrillos se cogían del árbol a últimos de noviembre, y no a principios de la primavera.

Juan sonríe sin alegría y responde que sus membrillos son especiales. Le paso la bota de vino –cualquier hora es buena para echar un trago– y le explico que en el Jardín de las Hespérides había algunos árboles cuyos frutos eran mitad membrillo, mitad manzana.

–Todos los que comiesen aquellos frutos tenían asegurada la vida eterna –le digo.

En ese preciso instante empiezan a dar las once de la mañana en el reloj de la iglesia. Juan va a decir alguna cosa, pero se interrumpe al oír las campanadas. Levanta la bota, no acierta a echar el chorro de vino en la boca y se mancha la camisa. Esa falta de coordinación –imperdonable en un aldeano– indica que ese pobre hombre no está en forma, ni física, ni anímicamente. Hace unas cosas, pero está pensando en otras. La verdad es que le encuentro bastante desmejorado. En cierto modo, me recuerda al hombrecito del bigote. Tampoco a Juan le iría mal engordar unos cuantos kilos.

–No entiendo por qué hay gente a la que le gusta vivir eternamente –suspira, pensando todavía en las manzanas de oro.

Puede que tengan razón los que dicen que me falta un tornillo, pero no soy tonto. Su mujer le lleva por el camino de la amargura. En estos momentos está pensando en el sobrino del alcalde. No puede quitarse de la cabeza que su mujer le engañase con ese cretino, que, para mayor inri, tiene los ojos cerca de las orejas y lleva puesto un diente de oro.

–Lo peor es que haga tan mal tiempo –suspiro.

2

Esta tarde he visto a Serafina. Fue como una aparición. Yo estaba asomado a la ventana y ella pasó por delante de mi casa, pero no me vio. Tampoco me vieron la oveja negra y la oveja taciturna. Ni siquiera me vio el pastor. No entiendo cómo hay gente que anda siempre con la mirada puesta en el suelo, como si esperase encontrar alguna cosa.

3

Roque está ahora a mi lado, recostado sobre su almohadón. Crepita la leña húmeda y las llamas se enroscan sin entusiasmo alrededor del único tronco que arde en la chimenea. En el huerto sólo me quedan tres o cuatro troncos.

«Cuidado», me dije. «Cuidado, porque aunque no se acaba el frío, se me está acabando la leña.»

Tendré que pedirle a Juan que, en lugar de alubias, me traiga de vez en cuando algún que otro tronco.

4

Albricias: pongo el televisor en marcha y aparece el hombre del bigote. Roque agradece su presencia con un raro ronroneo. Hacía mucho tiempo que no estábamos los tres juntos. Va a ser, pues, una gran noche. El hombre del televisor parece bastante recuperado, aunque lleva puesta todavía la misma corbata azul-negra. Creo que se ha recortado ligeramente el bigote.

–¿Son ustedes de los que piensan que el pescado es caro? –nos preguntó de pronto, apuntándonos con el índice.

Y ni Roque ni yo supimos responderle. Su pregunta nos ha cogido por sorpresa. Alguien decidió que el programa de esta noche estuviese dedicado a la pesca del atún, los guionistas prepararon el guión y el hombre del bigote, como siempre, se limita a leer los papeles que tiene delante.

Con semejante tema, por lo tanto, la noche resulta menos divertida de lo que esperaba. Ni Roque ni yo sabemos muchas cosas de la pesca del atún y el hombre del bigote, que se ha dado cuenta desde el primer momento, se frota las manos y se regodea de nuestra ignorancia.

5

Se acabó el programa de la pesca del atún. Otra vez nos hemos quedado solos. No sabemos de qué hablar y el fuego languidece. Al cabo de un rato de estar callados Roque me pregunta por Matilde y, sin pensar en las consecuencias, le confieso que la asesiné porque no podía continuar escuchando su risa.

Roque sonríe y me dice que a las arañas no se las asesina. Simplemete, se las mata.

–Pues entonces la maté –rectifico–. Le prendí fuego a la red y la maté.

El recuerdo de Matilde me pone definitivamente triste, así es que me voy a buscar la bota de vino. Roque se ha quedado dormitando sobre el almohadón, pero de vez en cuando abre un ojo para ver cómo continúo dándole al morapio. No critica que empine tanto el codo, pero cuando empiezo a llorar pensando en la araña y en el sapo, levanta un momento la cabeza y dice que para aborrecer el vino no hay nada mejor que ser testigo de las tonterías que hacen y dicen los borrachos.

Sus palabras parecen muy juiciosas, pero cuando le echo un par de dedos de vino en un plato sopero se lo liquida en cuatro lengüetazos y también él se sube a la parra. Regresa al almohadón y otra vez, como tantas veces, empieza a recordar el pasado de su pueblo.

–¿Dónde estará ahora aquel palacio de granito rojo? –suspira–. ¿Dónde está aquella reina que tanto nos quiso?

Los excesos nacionalistas de Roque me parecen ridículos y trasnochados. Observo, sin embargo, que a pesar de que está un poco borracho no se atreve a pronunciar el nombre de Cleopatra.

–¿Dónde está aquel emperador de Etiopía que consiguió domesticarnos? –continúa lamentándose.

Y al ver que se pone en ese plan, yo hago lo mismo que ya hice otras veces: me subo a una silla y empiezo a recitar uno de mis poemas:

> Volarán las oscuras golondrinas
> en tu balcón sus nidos a colgar...

–Cuidado, porque me parece que eso tampoco es tuyo –me advierte Roque.

–Lo de volarán, por lo menos, sí es mío –le digo.

Seguramente se lo dije de una forma que no debió de gustarle mucho porque se levantó inmediatamente del almohadón y se fue sin despedirse.

55 de mayo

1

Hace un rato estuve hablando con el alcalde. Yo estaba tomando el fresco en el banco de la plaza y se me acercó de puntillas por la espalda con la intención de cogerme por sorpresa. La verdad es que me dio un buen susto.

–Felices Pascuas –me dijo luego.

No sé a qué pascuas se refiere, pero le dije que muy bien, que fuesen las pascuas que fuesen, yo también se las felicitaba a él. Me invitó a fumar –a pesar de que sabe muy bien que no fumo– y me preguntó si me iba bien entrevistar a su caballo mañana por la mañana. Le contesté que no tenía ningún inconveniente y entonces se le iluminó la mirada y me explicó que tenía pensado sacar el caballo de la cuadra y montar la entrevista en el zaguán de su casa

–Pondremos alrededor unas cuantas sillas para la familia y los amigos –me dijo luego.

Y me dio otra palmada en la espalda para darme ánimos.

2

Esta noche Juan me ha traído una barra de turrón de mazapán, una botella de sidra y otra botella de vino dulce, pero se fue enseguida y no pudimos hablar del espectáculo que ha montado el alcalde.

56 de mayo

Una vez más, procuraré explicarlo todo desde el principio con el menor número de palabras.

La mujer del alcalde me vio llegar desde el balcón y bajó a abrirme la puerta de la casa. En el zaguán habían puesto diez o doce sillas arrimadas a las paredes y otra en el centro, que era la mía, para que pudiese hacer la entrevista sentado.

A las doce del mediodía empezó a llegar la gente y se sentaron en las sillas. Entre el público vi al alcalde del pueblo vecino, que había venido con su mujer, su hermano y sus dos hijos. Vi también a Juan, a su mujer y a la vieja de los dos dientes. Cuando estuvieron todos sentados la mujer del alcalde me trajo una copa de aguardiente y su marido se fue a la cuadra a buscar el caballo.

Me bebí la copa de aguardiente de un trago, me senté en la silla y monté una pierna por encima de la otra, para que viesen que no estaba nervioso. Al cabo de tres o cuatro minutos –calculo el tiempo a ojo de buen cubero– volvió el alcalde, que llevaba sujeto el caballo por el ronzal. Era un animal grande y viejo, que seguramente había visto ya demasiadas cosas en este mundo.

–Seguro que a mi sobrino le gustaría estar ahora con nosotros –me dijo el alcalde.

Se le veía satisfecho por el tinglado que había montado. Puso el caballo a mi lado, fue a sentarse junto a su mujer y me dijo que podía empezar cuando quisiese.

182

–A sus órdenes –le dije, como si él fuese un general y yo un soldado raso.

Lo primero que hice fue acariciar el cuello del caballo con la palma de la mano. Luego le pedí que nos contase –a mí y al público en general– alguna cosa de los tiempos en los que se ganaba la vida arrastrando carros.

–Desde entonces han pasado ya muchos años –me contesté a mí mismo, sin tomarme la molestia de cambiar de voz.

–¿Y qué piensa de la situación actual? –le pregunté luego–. ¿Cree usted que tenemos derecho a conservar intactas nuestras ilusiones?

–No puedo ser demasiado optimista al respecto –contesté, después de dar un relincho que me salió como si realmente hubiese relinchado un caballo–. Con los años me he convertido en un animal completamente inútil. He sido desplazado por las máquinas. Un pequeño motor es suficiente para sustituirme.

–Eso es cierto –le dije, volviendo otra vez a mi voz normal–. Y puedo comprender que se sienta usted un poco desmoralizado.

–Hay momentos –me recordé, con la voz del caballo– en los que se me llenan los ojos de lágrimas pensando en nuestras antiguas grandezas. Hubo un tiempo en el que los hombres, ni en la paz ni en la guerra, podían vivir sin nosotros. Ahí tiene, por ejemplo, a Bucéfalo, el caballo de Alejandro, que salvó muchas veces la vida de su dueño. Ahí tiene, también, al caballo de Julio César, que tenía los pies casi humanos.

–Se olvida usted de Babieca, el caballo del Cid Campeador –observé, con mi voz de hombre–. Aquel caballo condujo sobre sus lomos el cadáver de su dueño y ganó una batalla.

Dije todo eso mientras paseaba la mirada por las caras de todos los presentes, para ver qué tal se tragaban todo aquello, y me pareció que se lo estaban pasando en grande.

–Por todo lo que me cuenta, no me extrañaría que muchos animales envidiasen su historial –le dije al caballo, preparando ya el golpe final–. Y no me extrañaría tampoco que algunos individuos les envidiasen también por lo que les cuelga entre las piernas traseras.

Miré de reojo al alcalde y a su mujer, que tenía fama de beata en todo el pueblo, y vi que los dos, como puestos de acuerdo, cambiaban de postura, como si las sillas se les hubiesen quedado de pronto demasiado estrechas. Entonces pensé que había llegado el momento de la traca final. Me volví hacia la mujer del alcalde, que en un instante se puso roja como un tomate, y le dirigí una amable sonrisa, como justificando por anticipado cualquier respuesta que pudiese darme.

–Dígame, señora –le dije, levantando un poco la voz–. ¿No es acaso cierto que lo que tiene su marido entre las piernas no tiene nada que ver con lo que le cuelga a este buen animal entre las suyas? ¿Y no es también cierto que algunas noches preferiría tener a este hermoso caballo en su cama?

Apenas hube terminado de hacer estas pregun-

184

tas, el alcalde se levantó como si se le hubiese disparado un muelle y dijo a todo el mundo que la fiesta se había terminado. Echó a la gente a la calle y vino directo a mi encuentro, pero no se atrevió a sacudirme, seguramente porque leyó en mi mirada la fría determinación del homicida y tuvo miedo. Cogió a su mujer por el brazo, subieron al piso de arriba y yo me quedé desternillándome de risa en el zaguán.

–Quien siembra viento recoge tempestades –me dijo Pinturero, apenas nos quedamos solos.

21 de diciembre

1

Esta mañana he decidido recuperar el calendario normal. Juan me ha traído a casa otra barra de turrón. Seguramente es un regalo especial por el buen rato que le hice pasar ayer. Le he preguntado qué le pareció mi entrevista y me dijo que cuando salieron de casa del alcalde, por poco se muere de un ataque de risa.

Valía la pena correr el riesgo. No me importa, pues, que el alcalde me acuse ahora de escándalo público y de atentar contra las buenas costumbres del lugar y que me haya dado un plazo de diez días para marcharme del pueblo.

No sé si tiene derecho a echarme de mi casa –es, al fin y al cabo, la única casa que tengo en el mundo–, pero no pienso discutírselo. Todos sabemos que, en estos tiempos que corren, lo que dice un alcalde va a misa. Además, no le van a faltar testigos que le den la razón, por ejemplo, mi vecina de los dos dientes, e incluso la mujer de Juan, que al final se va a quedar con las ganas de llevarme al huerto.

Estoy seguro de que si no me marcho de este pueblo por las buenas, me echarán por las malas. Me iré, pues, por las buenas. No quiero que este follón salga de este pueblo. Prefiero que no se entere la guardia civil, porque a lo mejor acaban encerrándome otra vez en el hospital.

2

Al hombre del bigote, sin embargo, no le interesan mis problemas. Esta noche le he jurado y perjurado que no es verdad que alguna noche me pasase por la imaginación la idea de follarme a Serafina y que todo son únicamente habladurías de la gente. En lugar de tranquilizarme a ese respecto, el muy cabrón continuó hablando como si tal cosa del satélite artificial que desde hace tres días está dando vueltas alrededor de la Tierra.

–Esas cosas no importan tanto a los hombres como os imagináis vosotros –le dije.

Pero él continuó hablando de satélites artificiales, así es que le dejé solo y me fui a recibir a Roque, que en aquellos momentos subía lentamente por la escalera. Fue el propio Roque quien me pidió luego que apagase el televisor porque quería contarme cosas mucho más importantes que las que estaba contando el cretino del bigote.

—¿Qué cosas son ésas? —le pregunté.

Y entonces se lo pensó mejor y me dijo que no quería contármelas porque a lo mejor me ponía luego de mal humor. No me pareció de buen gusto insistir y estuvimos todo el rato callados viendo cómo ardía nuestro penúltimo tronco. Cuando dieron las doce se levantó y se fue.

22 de diciembre

1

Diez de la noche. No he salido de casa en todo el día y puede que tampoco salga mañana. Quiero demostrar a todos esos imbéciles que no les necesito. He cerrado incluso los postigos de todas las ventanas para no ver cómo cae la nieve y cómo el viento amontona nubes y más nubes sobre el pueblo.

Muy bien, que nieve todo lo que quiera. Por mucho que les fastidie a más de cuatro, dentro de tres meses llegará esa otra primavera de verdad a la que nadie puede renunciar y que se impone a todos los hombres como una obligación.

Esta mañana alguien estuvo llamando a la puerta durante un buen rato, pero no quise bajar a abrirle.

—¿Por qué razón tendría que responderle? —me

pregunté–. ¿Cómo pueden responder los que ni siquiera saben si están vivos?

He puesto en la chimenea el penúltimo tronco que me quedaba, pero no pienso encender el fuego hasta no saber si viene o no viene Roque. Puede que se presente a última hora.

2

Me ha cogido otra vez borracho y apenas le veo entrar le pregunto por qué los gatos caminan casi siempre con el rabo apuntando al techo. Roque me dice que no lo sabe y me pide que encienda el fuego lo antes posible.

–¿Quieres que te ponga un rato la televisión? –le pregunto.

Me dice que no, que lo único que quiere es calentarse un poco y volver a su casa lo antes posible. Se tumba sobre el almohadón y cuando brota la primera llama cierra los ojos, esconde la cabeza entre las patas y empieza a ronronear.

Me siento a su lado y espero a que se despierte, para ver si entonces podemos intercambiar aunque sólo sean cuatro palabras. Empiezo yo también a dormirme y me parece escuchar a lo lejos la risita de Matilde.

«Esté donde esté», pienso, «seguro que tiene un nuevo amante.»

No debe de resultar fácil, de todos modos, encontrar amantes en el otro barrio. Seguro que la gente tiene allí arriba otras cosas por las que preocuparse.

23 de diciembre

1

Me he pasado la tarde espiando por detrás de los visillos de la ventana. Hay veces en las que nos conviene ver sin ser vistos. Mientras estaban dando las once de la mañana, por ejemplo, vi pasar a Serafina y a sus compañeras camino de la colina y pensé que no era normal que saliesen del pueblo tan tarde. Luego vi al alcalde y a la mujer de Juan saliendo de la casa de la vieja de los dos dientes. Esa casa, por lo visto, se está convirtiendo en un misterioso centro de citas. Después pasó Juan y le pedí que me trajese un poco de leña.

2

Ocho de la noche. En la chimenea arden los dos troncos de boj que Juan me trajo esta mañana. Mañana traerá unos cuantos más. Dice que no tengo que preocuparme por la leña hasta que llegue el momento de marcharme.

Mientras los troncos arden voy liquidando poco a poco la botella de vino dulce y en estos momentos lo veo todo de color de rosa. Roque se presenta inesperadamente y me sorprende empinando el codo.

–¿Cuántos son dos y dos? –me pregunta.

–Seis –le contesto, riéndome.

Y a continuación, aunque no me lo pide, bajo a la cocina, subo la garrafa y le lleno el plato sopero de vino. Luego pongo en marcha el televisor y a las primeras de cambio aparece en la pantalla el hombre del bigote, con su corbata azul-negra.

Esta noche empieza hablando de un tipo que perseguía por la calle a su mujer desnudo y con un cuchillo. Luego abre una pausa, cambia el tono de voz y empieza a hablar de los problemas que supone la parcelación excesiva. No hay quien se trague tanto rollo. Lo peor, de todos modos, es que nos ha dejado sin saber que pasó al final con el hombre del cuchillo y su mujer.

–En algunas regiones de este país –dice el hombrecito, estirando un poco el cuello– se hace difícil convencer a las vacas para que no se salgan de su parcelita, y no pasten en la del vecino.

Como siempre, se está limitando a leer el texto que le han puesto delante.

–¿Qué crees tú que le pasó al hombre que perseguía a su mujer con un cuchillo? –le pregunto a Roque.

–A lo mejor acabaron haciendo las paces –responde.

–El derecho de réplica –lee ahora el hombre del bigote– debería otorgarse a ciudadanos y organizaciones, siempre que lo soliciten de forma razonable.

–Algo falla –le digo a Roque–. En estos tiempos se habla demasiado de razón y de razonable.

Roque dice que esta noche el vino me ha puesto de mala uva y que para eso no vale la pena beber.

–Lo que pasa –me justifico– es que me echan de este pueblo y no sé todavía adónde ir.

190

Nos quedamos callados, digiriendo poco a poco nuestras respectivas borracheras. Los dos nos hemos puesto de acuerdo en mantener los ojos cerrados, yo mientras me balanceo en la mecedora y el gato mientras ronronea sobre el almohadón. El hombre del bigote continúa sermoneando. Su voz se hace cada vez más débil. Puede que esté empezando a cansarse. Se refiere ahora a otros políticos que, como él, lucen bigotes obscenos. «Dime cómo es tú bigote y te diré cuáles son tus ideas», pienso, sin abrir los ojos.

–Parece ser –dice el hombrecito del televisor– que a pesar de los graves enfrentamientos de estos últimos días, no habrá por ahora ruptura parlamentaria.

Abro por fin los ojos y descubro que ahora ya no lleva puesta la corbata azul-negra de hace un rato, sino otra absolutamente negra. Se cambió de corbata mientras yo estaba con los ojos cerrados. Puede que mañana se presente completamente vestido de negro, es decir, de luto riguroso.

«Cualquiera sabe», me digo, santiguándome, «las desgracias que nos está presagiando este hombre.»

Y para remontar el ánimo me acabo el vino dulce que quedaba en la botella y vuelvo a llenar el plato de Roque con el tinto de la garrafa. Luego cambio de canal y la pantalla se llena de chicas en traje de baño. Le digo a Roque que parece como si todas las bailarinas nos estuviesen mirando y el gato me aconseja que es mejor que no me haga ilusiones. «Ni una sola de esas chicas siente el menor interés por nosotros», dice. Y añade luego que, aunque lo hiciesen, no podrían vernos porque estamos muy lejos.

–¿Quién está demasiado lejos? –le pregunto–. ¿Nosotros de ellas, o ellas de nosotros?

–No es lo mismo mirar que ver –ronronea Roque–. Hay gente que mira y no puede ver, pero hay también gente que ve sin querer mirar.

–¿Te parece que esas chicas vendrían a vernos si supiesen que estamos solos? –le pregunto.

–No lo creo –susurra.

Cuando se van las chicas y llegan los anuncios, Roque continúa mirando la pantalla, pero lo hace con un ojo abierto y el otro cerrado. Al cabo de un rato regresan las bailarinas con otros trajes de baño aún más pequeños. El único bañador rojo es el que lleva puesto la bailarina que está en el centro del grupo y que parece la jefa de todos. Me parece una provocación completamente inútil.

–¿Tú crees que alguna vez aprenderé a vivir solo? –le pregunto al gato, cambiando de canal y poniendo otra vez al hombre del bigote.

–Pon inmediatamente el otro canal –me exige Roque–. Ponlo antes de que se vaya la chica del bañador verde.

–No era verde, sino rojo –le corrijo.

–Era verde –replica el gato–. Y si tú lo ves rojo será porque, aparte de ser un poeta mediocre, eres también un poeta daltónico.

Roque se muestra cada vez más insolente. Sabe, sin embargo, que continúo necesitándole y se permite el lujo de decirme todo lo que piensa. Si algún día me decido por fin a escaldarle, se lo tendrá bien merecido.

24 de diciembre

1

Continúo sin salir de casa, pero hoy ni siquiera me apetece asomarme a la ventana. Hace demasiado frío y prefiero estar sentado junto al fuego. Juan me ha traído esta mañana los troncos que prometió ayer y me ha dicho que mañana volverá a traerme otros dos.

Faltan menos de tres meses para que llegue la primavera de verdad, pero entonces no estaré ya en este pueblo, aunque sólo sea para ver cómo a todos estos cretinos no les queda más remedio que aceptarla.

2

Recuerdo que en noches como ésta, hace bastantes años, cantábamos a coro viejas canciones, pero creo que todos los que cantaban a mi lado ya no están en este mundo. Algunas veces pienso que ni siquiera existieron.

No ha venido Roque. Tampoco he encendido el televisor.

25 de diciembre

Las diez de la noche. Roque sigue sin aparecer. Continúa enfadado, no puede perdonarme que ayer noche le dejase sin la chica del bañador rojo, o del bañador verde, porque ya no estoy seguro de qué color era. El hombre del bigote piensa que la culpa es mía y que tampoco sé tratar a los gatos.

–No se les puede prohibir que piensen en Cleopatra –observa.

Luego me dice que desde el día en que llegué a este pueblo he estado hablando solo y que le parece normal que tanto los hombres como los gatos me hayan perdido el respeto.

–¿Qué es lo que quiere usted decirme con eso? –le pregunto.

–Quiero decirle –responde– que ni uno solo de los animales con los que usted pensó que estaba hablando le dirigió en realidad ni una sola palabra. Se inventó todas las preguntas, pero se inventó también todas las respuestas. Durante todas estas semanas ha estado usted hablando solo.

–A lo mejor tiene usted razón –susurro.

Pero un instante después, sin pensármelo dos veces, arranco los cables, me cargo el televisor al hombro y lo tiro por la ventana.

Se acabaron las consignas, se acabaron los presentadores bigotudos, los detergentes y las bailarinas provocadoras.

26 de diciembre

Juan me ha traído otra botella de sidra y medio pollo asado. Siente mucho que me tenga que marchar del pueblo. Tampoco él se siente feliz. Su mujer le hace la vida imposible.

Le cuento que ayer noche tiré el televisor por la ventana y me dice que ya lo sabía. La vieja de los dos dientes lo vio todo desde su casa y fue a contárselo al alcalde. Estamos sentados en el banco de la cocina, con la bota de vino al alcance de la mano. Enciende un cigarro y echa por la nariz una larga columna de humo. Es la primera vez que le veo fumar.

–No te preocupes –le digo, para levantarle un poco la moral–. Tanto si te casas como si no te casas, te arrepientes igualmente.

Durante un rato estamos sin abrir la boca. Nos lo decimos todo con el silencio. Por fin Juan me mira a los ojos y me pregunta si es cierto que puedo hablar con los animales.

–Supongo que sí –le digo, sin querer acordarme de lo que me dijo ayer el hombre del bigote.

No hace más comentarios y continuamos bebiendo hasta que lo vemos todo de color de rosa. Juan me dice entonces que lo que le parece más raro es que todos los animales, sean vacas, gallos, ovejas o perros, hablen el mismo idioma.

–Si eso fuese verdad –me dijo– los animales serían mejores que nosotros, que hablamos muchos idiomas distintos y no nos entendemos.

–Tienes razón –murmuro–. Ni siquiera nos entendemos hablando el mismo idioma.

Juan se pone la botella sobre la cabeza, extiende los brazos en cruz y mantiene la botella en equilibrio durante un par de minutos. No debe de resultar fácil hacer eso, sobre todo para él, que tiene la cabeza con tantas puntas.

–Al principio de conocerte llegué a pensar que te faltaba un tornillo –murmura, procurando que al hablar no se le mueva la cabeza.

Pero me lo dice como si estuviese ya convencido de que no me falta ninguno. Se le cae por fin la botella al suelo y se pasa un buen rato recogiendo todos los trozos de vidrio que han quedado desparramados por el suelo. Luego me pregunta por qué he tirado el televisor por la ventana y le digo la verdad, es decir, que estaba ya cansado del hombre del bigote y de ver hermosas mujeres que no puedo llevarme a la cama.

–¡Ja, ja! –se ríe.

Pero enseguida deja de reírse y se queda triste, seguramente porque empieza a pensar otra vez en su mujer.

27 de diciembre

Esta mañana he encontrado en el huerto una de las patas traseras del sapo, concretamente la derecha.

196

Esa infeliz criatura, que nació predestinada al dolor y a la tragedia, murió despedazada por algún depredador.

Todas mis sospechas se orientan en una sola dirección.

28 de diciembre

Tendría que empezar ya a preparar la maleta. Todavía no tengo decidido qué voy a hacer con los libros. Puede que no valga la pena que me los lleve otra vez a la ciudad. Sería estupendo si pudiésemos viajar por ahí llevando toda nuestra biblioteca metida en un bolsillo del pantalón.

Esta noche vino Roque. No me preguntó dónde está el televisor. La verdad es que no me preguntó nada. Ni siquiera me dio las buenas noches. Se sentó frente al fuego y se paso más de media hora ronroneando.

–Te conozco –le dije–. Hay algo que te remuerde la conciencia. Cuéntame lo que sea y te daré la absolución.

Hizo como si no me oyese y para tirarle de la lengua le puse un poco de vino en el plato sopero, pero el muy cabrón no quiso beber.

–¿Por qué te comiste al sapo? –le pregunté de pronto–. ¿Por qué mataste a esa infeliz criatura?

No quiso responderme, pero en lugar de preguntárselo otra vez cambié de actitud y le dije que no se preocupase, porque me parecía la cosa más normal del mundo que los gatos se comiesen a todos los sapos y a todas las ranas que se encontrasen en el camino.

–Buen provecho –le dije al final, procurando que no se me notase lo cabreado que estaba.

Roque comprendió que todo eso no se lo había dicho en serio y siguió sin decir nada. Cuando se apagó el fuego se desperezó y se fue escaleras abajo sin despedirse.

Una noche más, por lo tanto, ha vuelto a comportarse como se comportan los gatos normales, que hacen siempre lo que ellos quieren y no lo que les piden los hombres.

Creo, de todos modos, que muy pronto sonará la hora de su castigo.

29 de diciembre

Esta mañana he visto pasar por última vez a Serafina por delante de casa. Le dije adiós con la mano y me respondió con un triste balido.

Acabo de poner el último tronco en el fuego. Roque ha venido a verme mientras estaban dando las diez de la noche.

–Dime de una vez por qué te zampaste al pobre sapo –le pregunto de sopetón, cogiéndole por la cabeza–. Dime por qué te diste un banquete con un infeliz sapo que ni siquiera tenía veneno.

Roque cierra los ojos y cuando vuelve a abrirlos los tiene de color rojo. Eso quiere decir, seguramente, que se siente culpable y que en estos momentos le remuerde la conciencia.

No quiere, sin embargo, disculparse. Lo único que hace es mover débilmente el rabo.

30 de diciembre

He acabado todo el vino que quedaba en la garrafa y luego me metí en la cama.

Me he pasado casi todo el día durmiendo.

31 de diciembre

Mañana Juan me acompañará con su camioneta al pueblo vecino. Allí cogeré un coche de línea que en un par de horas me llevará a la ciudad.

Le he pedido a Juan que busque un comprador para esta casa.

Esta noche, por fin, Roque ha sido severamente castigado. Entró en casa maullando en el mismo instante en el que ponía a hervir unas cuantas patatas y vino a verme a la cocina.

No me lo pensé dos veces: saqué del fuego la cazuela con el agua hirviendo y se la eché encima.

–En los nidos de antaño –le dije recordando la

frase de un amigo mío–, ya no hay pájaros hogaño.

Nunca he visto a nadie saltar tanto como saltó ese gato altanero y asesino. Se escapó maullando y estoy seguro de que, si sobrevive al lance, me guardará rencor durante todo lo que le quede de vida.

1 de enero

Están dando las tres de la tarde y hace un rato dejó de nevar. Estoy sentado a la puerta de casa, escribiendo las últimas líneas en este Diario. Mantengo la libreta sobre las rodillas, pero tengo los dedos helados y apenas puedo sostener el bolígrafo.

Arriba, tras los visillos de la ventana, la vieja de los dos dientes se santigua una vez más, pero no tiene valor suficiente para asomarse a la ventana y desearme buen viaje.

Lo peor de todo es este frío, que no se acaba nunca.

Impreso en Talleres Gráficos
LIBERDUPLEX, S. L.
Constitución, 19
08014 Barcelona